拡張するキュレー

価値を生み出す技術

暮沢剛巳
Kuresawa Takemi

a pilot of wisdom

目次

序章　展覧会企画と情報検索

「情報の収集と分類」としてのキュレーション

本書はキュレーションについてのささやかな考察であり、「価値を生み出す生き方としてのキュレーション」について考えることをその目的としている。なぜ私がこのようなことを考えるようになったのか、まずそのことから簡潔に説明していきたい。

われわれは高度情報化社会の中に暮らしていて、様々なメディアを通じて、日々大量の情報を摂取しては消費している。だが毎日大量の情報に接していると、情報には二面性があることに否応なしに気づかされる。すなわち、情報を消費することが楽しくてたやすい半面、情報を生産することがつらい上に難しいことだ。両者の二面性は、例えば小説やマンガを読むことと書くこと、映画を見ることと撮ること、あるいはゲームをプレイすることと制作することなどを対比すればすぐにわかるだろう。しかし日々の生活の中では、誰しも情報を消費するばかりではなく、生産しなくてはならない局面に行き当たる。つらい上に難しい作業である情報生産をより楽しく、より快適にこなせるようになる技術はないものか。常々そんなことを考えていた私は、以前からある一つの言葉がその手掛かりになるのではないかと強く感じていた。いうまでもないが、それがキュレーションである。キュレーションという言葉にはいくつかの側面があるが、ここでは本書の意図に即して、二つに焦点を絞っていこう。

まず一つが、展覧会企画としてのキュレーションである。国立博物館などを会場とした大型展（このような展覧会を、業界用語で「ブロックバスター展」という）から、ギャラリーの一室を会場とした小規模な個展に至るまで、世の中では様々なタイプの展覧会が開かれている。そして、規模の大小を問わず、一つの展覧会が発案されてから実現に至るまでには、そのプロセスを通じて様々な業務が発生する。この場合のキュレーションとは、展覧会企画に関わる業務を緩やかにまとめる総称といえる。

例えば、二〇〇六年に東京都現代美術館で開催された「大竹伸朗　全景　1955―2006」展では、会場三層をすべて膨大な量の作品で埋め尽くし、さらに屋上に宇和島駅の看板を載せて美術館自体を作品化するという大掛かりな展示が行われたが、この場合、この展示に関わるすべての業務がキュレーションということになる。あるいはさらに最近の例として、一時はコロナ禍で開催が危ぶまれたものの、二〇二〇年の夏に無事開催されたヨコハマトリエンナーレを挙げておきたい。ここでは、「AFTERGLOW―光の破片をつかまえる」というテーマに即して行われた計六七組の参加作家の選定や、横浜美術館をはじめとする三会場への作品配置など、展示に関わる業務全体がキュレーションということになる。その役割を担ったのは、インドの作家集団「ラクス・メディア・コレクティヴ」であった。

そしてもう一つの観点が、IT用語としてのキュレーションである。検索エンジンに「キュレーション」という言葉を入力すると、「インターネット上の情報を集めること」「集めた情報を分類・整理して新しい価値を与えること」といった説明が真っ先にヒットする。またその延長線上で、集めた情報を特定のルールに従って分類・公開しているサイトをキュレーションメディアと称することもあるし、ビジネス誌に大手IT企業の「キュレーション部門の失敗」を報じる記事が掲載されることもある。例えば、二〇一六年にヘルスケア情報を扱っていたDeNAのサイト「WELQ」が、医学的根拠のない記事を大量に掲載したことによってバッシングにあった「キュレーションサイト問題」を覚えている読者もいるだろう。この場合のキュレーションは、SNSの普及によってネットに膨大な情報が溢《あふ》れかえり、情報の真贋《しんがん》の見極めなどメディアリテラシーの重要性が強調される中で、いかなる基準によって情報を取捨選択すべきなのかという関心の高まりに対応したコンセプトといえる。

展覧会企画とネット検索。一見したところ、この二つのキュレーションは互いに何の関係もなく併存している。私の知る限り、両者の関係に注目した議論もごく少数しか存在しない。しかし少し考えてみると、両者には情報の収集・分類という紛れもない共通点があることがわかる。展覧会とは様々なモノ（詳しくは後に触れるが、モノは情報の集合体である）を集めて公開するイベントであり、ネット検索とは「インターネット上の情報を集めること」である。端的にいえば、一見全く異質な二つのキュレーションの違いは、収集の対象とする情報がモノであるか言語であるかの違いでしかない。そしていうまでもなく、情報はあらゆる知的生産の基礎として位置づけられる。すなわち、両者の共通性に注目することを発端に、キュレーションという言葉の意味を「価値を生み出す生き方」にまで拡張することが本書の目的である。

起源は「人の面倒を見る」ことだった

キュレーションとは何かについて考えるにあたって、まず語源を辿《たど》ることから始めてみよう。キュレーションの英語表記はもちろんcurationだが、実は多くの英和辞典にはこの言葉は載っていない。代わりに載っているのが「学芸員」と訳されるcuratorという言葉であり、キュレーションという言葉の属人的な性格がうかがわれるが、このcuratorの語源にあたるのがラテン語のcurareである。これは、未成年者や心神喪失者の面倒を見るという意味の言葉であったようだ。それが現在のような展覧会企画などを意味する言葉へと徐々に変質していったのは、大航海時代以降の博物館の歴史とも大いに関係している。

17世紀デンマークの学者オレ・ウォルムの「驚異の部屋」

よく知られているように、ヨーロッパの著名な美術館や博物館の多くは、「珍奇な陳列室《キャビネ・ド・キュリオジテ》」や「驚異の部屋《ヴンダー・カンマー》」と呼ばれた王侯貴族の私的なコレクションをそのルーツとしている。それらのコレクションには、当然ながら収集した王侯貴族の趣味が強く反映されていた。多くの資金や労力を費やして収集されたコレクションをどのように分類し、維持・管理するべきか――curareがその意味で用いられたのは、貴重なコレクションの維持・管理が人間の面倒を見ることにたとえられたからでもあったに違いない。

　これらの王侯貴族の私的なコレクションの多くは、一七五九年の大英博物館開館や一七九三年のルーヴル美術館開館などを機に国家の所有へと移行して広く一般公開されるようになり、それに伴って、収集した当事者とは別に、専門の管理者が管理責任を負うようになる。当時英語でkeeperと呼ばれていたこの責任者が、現在のキュレーターの原型である。その後、世界各地に多くの美術館や博物館が開館し、様々なタイプの展覧会が開催されるようになった結果、展覧会企画者としてのキュレーターの在り方も拡張されて現在に至っているわけだ。

学芸員とキュレーターの違い

ここで、展覧会に関わる業務を簡単に整理しておこう。一つの展覧会をまとめる上で発生する業務といえば、企画立案、人選、出品交渉、予算調達、スポンサーとの交渉、助成金の申請、会場計画、カタログ執筆、プレス対応、各種広報、設営作業、保険対応といったところが挙げられる。もちろん、対象とするコンテンツや規模・予算の大小によって業務の内容や分業の仕方は千差万別であるが、いずれの業務も「モノとしての情報」の収集や取捨選択に深く関わっていることに違いはない。

ところで、日本には多くの公立博物館・美術館があり、そこで作品の保守・管理や展覧会企画を職業とする多くの学芸員が働いている。学芸員は博物館法が厳密に規定する国家資格が必須の職業であり、学芸員として公立の博物館・美術館に勤務することを志望する者は、まず大学での学習を通じて資格を取得しなくてはならない。だが、本書で扱うキュレーションがそうした資格とは全く別個のものであることは断っておきたい。

とはいえ、学芸員とキュレーターを混同するのも致し方ない一面がある。私の自室の名刺ホルダーには多くの博物館・美術館の学芸員の名刺が保管されているが、その裏面には決まって英語でcuratorと記載されている。だが学芸員とキュレーターは必ずしも厳密に対応しているわけではない。欧米ではcuratorというと館長かそれに準ずる職位を示す場合が多いようだし、所属する博物館・美術館の業務全般を担当するゼネラリストとしての学芸員と、展覧会企画に特化したスペシャリストとしてのキュレーターを対比させる意見も以前から少なくなかった。学芸員をcuratorと訳すのは、他にこれといって適切な訳語が存在しないという消極的な事情による部分が大きいように思われる。そもそも、スペシャリストとしての展覧会企画者に関わる法的規定は国ごとに異なっているし、フリーランスが登場した現在では、正規雇用の身分で博物館や美術館に在職していることがキュレーターとしての絶対条件というわけでもなくなっている。学芸員資格を有しない者が小規模なギャラリーで企画したささやかな展覧会はもとより、もはや展覧会とすらいえない見本市やショールームでの商品展示や書棚の配架や陳列でさえも、それが「モノとしての情報」の分類・整理である以上は、れっきとしたキュレーションたりうるのではないか。本書は一貫してそのような立場から書かれている。

英国出身の美術評論家クレア・ビショップは、『人工地獄』でキュレーターを「幅広い鑑賞者の層にとって社会的意義のある芸術を、協働して生産＝創造することを確固として望み、展覧会そのものを包括的な議論とみなす人々」と定義している。日本でも翻訳紹介された同書で、二〇世紀以降の美術を「参加」という観点から問い直し、美術と労働の関係を再考しようとしたビショップらしい見解だが、その対象領域を「芸術」以外にも拡張し、情報収集や取捨選択という要素を補えば、彼女の定義はほぼ本書における私の主張と一致する。

「モノとしての情報」とは?

さて、先ほど「モノは情報の集合体である」と書いたが、これがどういうことなのか、ごく簡単に説明しておこう。まず美術作品を例に取ってみたい。会場に置かれた美術作品の傍らには、キャプションと呼ばれる小さなプレートが張られていて、タイトル、作者名（及び生没年や出生地・死没地）、制作年代、ジャンル、素材などの情報が記載されている。これは美術館の展示に限らず、博物館に展示されている考古学資料やショールームに陳列されている商品にも当てはまる。ピカソのように活躍した時代が比較的最近で、また自分の作品について詳細な記録を残していた作家であれば、以上の情報は容易に入手できるが、言語化された記録が残っていない古い時代のモノであれば、企画者自らが調査して言語化しなければならない。キャプションに記載のない情報でも、おおよそのサイズや色彩は誰でも簡単に判別できるし、また特定のジャンルに精通した者であれば、作品や資料にじかに接することによってさらに多くの情報を読み取ることができるはずだ。

他方、作品の持つ情報は必ずしも言語情報ばかりとは限らない。美術作品は金属や木材、セラミックや紙といった物質によってできているが、これらの物質のテクスチャー（肌理《きめ》）はその素材がどういう性質を持っているのかを教えてくれるし、また素材以外でも、例えばドアノブはその形状によってドアの開け方を教えてくれる。認知科学やデザインの分野では、モノと周囲の環境の間に成立する意味のことを「アフォーダンス」と呼ぶことがあるが、「アフォーダンス」もまたれっきとした情報であるということができる。同様に、生け花や盆栽などの生体をモノの一種とみなすなら、それらが有する遺伝子情報（それらはしばしば「ゲノム」や「ミーム」と呼ばれる）もまた情報である。本書では、これらの言語以外の情報を非言語情報と総称することにする。

大雑把ではあるが、こうして「モノとしての情報」の在り様を確認すると、様々なモノを展示する展覧会の意義も理解されるだろう。展覧会企画としてのキュレーションは、様々なモノを配列し再構成することによって、個々のモノの持つ情報を明らかにすると同時に、モノとモノの関係を通じて新たな情報を生み出し、それを可視化する高度な知的生産技術なのである。

現代美術とキュレーション

今までの議論で、私は展覧会企画としてのキュレーションやその専門家としてのキュレーターに触れてきたが、ここには一定の留保が伴うことにも言及しておかねばなるまい。というのも、現代の日本では「キュレーション／キュレーター」や「curated by ○○」という表記が用いられるのは、ほぼ現代美術の展覧会に限られているからだ（私が体験した範囲では、韓国、中国、台湾などの東アジアでもこれに類似した現象が存在するようだ）。日本語版のウィキペディアでは「学芸員」と「キュレーター」という項目が別立てとなっており（このような分割処理をしているのは、他には中国語版のみである）、しかも「キュレーター」の項目にはわざわざ現代美術に範囲を限定した説明が載っている（二〇二〇年一二月七日時点）。『現代美術キュレーター という仕事』という本も出版されているし、美術館に所属しないインディペンデント・キュレーターの活躍の場もほぼ現代美術に限られている。若者の憧れの職業の一つといわれ、「展覧会の仕掛人」などの華やかなイメージで語られるキュレーター像も、現代美術と分かちがたく結びついている。他のジャンルの展覧会、例えば仏像展や恐竜展や郷土史展などで、この言葉が用いられることはほとんどないように思われる。古美術の専門家である白洲信哉《しらすしんや》は、著書のあとがきで「古美術からみる東大寺の美」展を企画した自らの体験をキュレーションという言葉を用いて語っているが、私の知る限り、この用例は非常に珍しい。これはいったいどういうことなのだろうか。

その答えは、現代美術とそれ以外の美術を対比することで鮮明になるだろう。古美術展や印象派展などが典型だが、近代以前の美術を対象とした展覧会はいわば一種の定番商品である。そこで求められるのは安定した人気のあるコンテンツであり、企画者は有名作家の代表作を数多く揃《そろ》えるなどして、可能な限りその要望に見合ったパッケージを仕立てて提供することが何よりも求められる。従来とは異なる新解釈が打ち出されることもあるが、なにぶん扱っている対象が既に長い年月を経て評価の定まっているものばかりのため、たった一度の展覧会で作家・作品の評価が大きく変化するようなことはまず起こらない。

それに対して、現代美術とはすなわち現在進行形の美術の動向の総称である。多くの作家はまだ存命で、今後過去とは全く異質な作品を発表するかもしれないし、キャリアの乏しい新人の展覧会が開催されることも少なくない。当然、その評価も不安定で、定まるまでには長い時間の経過を待たねばならない。その意味では、現代美術の展覧会は、他の展覧会と比べて、美術史に新たな一ページを書き加えること、すなわち従来とは異なる新しい価値を提示するという実験的な側面が格段に強いことがわかる。キュレーションという歴史の浅いカタカナ語は、この側面と強く結びつくことによって自らその意味を狭めていったように思われる。

ここで私見を述べておけば、キュレーションの範囲を現代美術に限定して考える必要は全くない。他のジャンル、例えば先に挙げた仏像展や恐竜展や郷土史展もモノとしての情報の収集や取捨選択の成果物である以上、キュレーションの対象であることに変わりはないし、見本市での商品展示やワインショップの棚の陳列にも同様のことがいえる。とはいえ、この言葉が定着してきたプロセスを踏まえれば、多少の意味の変質はやむを得ない部分もあるだろう。そこで私は、現代美術のキュレーションにおいて強調される「従来とは異なる新しい価値を提示する」という一面を他のジャンルに対しても適応させて考えることにしたい。たとえ扱う対象が古い時代の作品や資料であっても、情報の加工の仕方によって新しい価値を引き出すことができれば、それはキュレーションなのだ、と。具体的な検証は次章以降に譲るが、情報の収集と取捨選択による新しい価値の提示、それこそが本書の目指すキュレーションの方向性である。

データベース整理術としての『知的生産の技術』

様々なタイプの展覧会が存在する以上、キュレーションの方法もまた千差万別だが、知的生産技術という観点から、私がその仕事に強い関心を持っている一人が梅棹忠夫《うめさおただお》である。梅棹は、日本の文化人類学や民族学を代表する先駆的な研究者の一人であり、世界各国をフィールドワークして回った成果は、著作集にまとめられた多くの著作へと結実している。また国立民族学博物館（大阪府）の設立にも尽力し、一九七四年に創設されてからは長らく館長の任にあって、大阪万博のテーマ館の展示品を引き継いだ同館のコレクション展示にも深く関わっていた（亡くなった翌年の二〇一一年にはその業績を回顧する「ウメサオタダオ展－知的先覚者の軌跡」が開催され、また二〇二〇年には、一時は開催が危ぶまれたものの、生誕一〇〇年を記念する「知的生産のフロンティア」展が開催された）。だがここで梅棹を取り上げる何より決定的な理由は、その著書『知的生産の技術』にある。一九六九年に岩波新書から出版された同書は、それから約半世紀経過した現在もなお版を重ね、多くの人々に読まれ続けている。本格的なＩＴ時代を迎え、出版当時とはデスク回りの環境が一変してしまっているにもかかわらず、果たしてこのことは何を意味す

壁一面に棚が並ぶ梅棹忠夫の自宅研究室

るのだろうか？

一例として、同書で提唱されているカードの使い方を見てみよう。梅棹はカードとノートを対比し、組み換えができるカードの利点を指摘した上で「カード法は、歴史を現在化する技術であり、時間を物質化する方法である」と強調する。実際に梅棹は主にB6サイズのカードをキャビネット、二つ折りファイル、オープンファイルなどに保管していたほか、必要に応じてこざね（紙切れをまとめたもの）や付箋なども使い分け、膨大な情報を自在に組み換えつつ、数々の著作や展示のアイデアを生み出していった。

これと同様のカードを活用した情報整理法として、川喜田二郎の「KJ法」が挙げられる。

端的にいえば、KJ法とは情報をカードに書き写し、そのカードを分類・整理し、図解や叙述へと展開していくプロセスのことを指し、KJ法という名前は考案者川喜田二郎のイニシャルに由来する。そのプロセスが綴《つづ》られた『発想法——創造性開発のために』もまた、『知的生産の技術』同様に半世紀以上にわたって読み継がれてきたロングセラーである。

KJ法は四つのプロセスからなる。最初にカードにデータを記録するところから始まるが、注意しなければならないのは、カード一枚につき書き込むデータは一つだけとし、個々のデータを独立させねばならないことだ。次が多くのカードの中から似通ったものを選んでいくつかのグループにまとめ、グループに名をつけるグループ編成である。個々のカードにどのようなデータが記録され、また複数のカードをどのようにグループ編成するかはもちろん作成者の主観による部分が大きいのだが、重要なのはこのグループ編成が「異質のデータを統合する方法」であることだ。一枚のカードに複数のデータが書き込まれていては、この方法自体が成り立たなくなる。カード一枚につき一つの情報しか記載してはならない理由もここにある。

ではグループ編成されたデータはその後どうなるのか。これには二通りの道筋があり、それが第三、第四のプロセスとなる。一つはデータを図解化するもので、これをKJ法A型、もう一つが個々のデータを文章としてつないでいくことで、これをKJ法B型という。それゆえ、

A型とB型の結びつきも、図解から文章へと展開するKJ法AB型と、逆に文章から図解へと展開するKJ法BA型の二通りが存在する。

川喜田は文化人類学の専門家で、ネパールでの野外調査を繰り返し行った結果、膨大なデータが蓄積されたため、それを的確に分類するべく試行錯誤を重ね、KJ法を考案した。大学や企業研修での指導を通じて普及を図った結果、KJ法は「創造性開発」に効果のある教育・コンサルティング方法として定着し、専用のカードなども販売されている。ここでその詳細には立ち入らないが、いったん本来の文脈から引きはがされた（＝脱文脈化された）データが、グループ編成されて新たに図解や文章となる（＝再文脈化される）ことこそKJ法の本質であることは強調しておきたい。

一般に、カードを活用した情報整理法は、一七世紀に提唱された「抜粋術」（ars excerpendi）の流れを汲《く》むものとされており、「知的生産の技術」や「KJ法」にはもちろんそうした側面もある。だがここで提唱されているのはデータベース整理術そのものであり、紙のフォルダをデスクトップのフォルダに置き換えて考えてもほとんど違和感がない。無数のカードの集積によって形成された集合知は、今日のデジタル・アーカイヴの先駆けといってもよいだろう。このIT時代にも十分通用する先駆性こそ、『知的生産の技術』や『発想法』が今でも多くの人々に読まれている最大の理由ではないだろうか。

これに対して、手書きのカードとインターネットでは、情報検索のスピードがあまりに違いすぎるのではないかという反論があるかもしれない。もちろん両者のスピードに雲泥の差があることは事実である。しかしながら、速いことは必ずしも良いことばかりではない。昨今のインターネットには、(俗に「脊髄反射」と呼ばれるような)ほとんど調べたり、考えたりした形跡のない思いつき同然のコメントや、根拠の乏しいフェイクニュースが溢れている。これらはすべて、インターネットの速さに過度に依拠した単純化された思考から生まれてきたものだ。その問題はIT産業に従事する者の間でも深刻に受け止められており、ネット検索の拙速さを戒め、時間をかけた良質な情報発信をモットーとするスロージャーナリズムが注目されている。オランダの「De Correspondent」やイギリスの「Delayed Gratification」などを代表格とする、このような性格を持ったネットメディアが活躍する状況を踏まえれば、『知的生産の技術』の情報整理法を生かす余地は今なお十分にあるといえるだろう。

いかに生活一般の技術として応用するか

ところで梅棹は、同書の「はじめに」で以下のようにも述べている。

そこで、知的生産の「技術」が重要になってくる。はじめは、研究の技術というところから話をはじめたが、技術が必要なのは研究だけではない。一般市民の日常生活においても、「知的生産の技術」の重要性が、しだいに増大しつつあるようにおもわれる。

資料をさがす。本をよむ。整理をする。ファイルをつくる。かんがえる。発想を定着させる。それを発展させる。記録をつける。報告をかく。これらの知的作業は、むかしなら、ほんの少数の、学者か文筆業者の仕事だった。いまでは、だれでもが、そういう仕事をしなければならない機会を無数にもっている。生活の技術として、知的生産の技術をかんがえなければならない理由が、このへんにあるのである。

ありていにいえば、この一節で提唱されている「知的生産の技術」は、私が本書で考察しようとしているキュレーションとほとんど同一のものである。一つの展覧会を組織するにあたって、「モノとしての情報」をいかにして収集・分類し再構成すべきなのか。またそれはいかにしてネット検索のみならず、生活一般の技術としても応用することができるのか。梅棹は、今日は情報の時代であるとし、また知的生産の技術は一部の知識人だけのものではなく、現代人であれば誰でも必要な実践的素養であることを強調している。

以下、第一章〜第七章では、章ごとにテーマを設定してそれに対応した具体的な事例を挙げ、ケース・スタディを展開していく。私は美術・デザインを専門とするため、取り上げる事例はどうしても美術展やそれに近い性格を持った展示が多くなってしまうのだが、キュレーションを知的生産の技術として考える姿勢はいずれの章にも共通しており、いずれの事例にも狭い専門の枠を越えた汎用性の高い知恵が潜んでいる。そしてそれらのケース・スタディを経た終章で、あらためて「価値を生み出す生き方」としてのキュレーションについて考察してみようと思う。

第一章　「価値」のキュレーション

「民藝」とは何か

京王井の頭線駒場東大前駅。この駅の周辺には東京大学駒場キャンパスを中心に、駒場公園、日本近代文学館、旧前田侯爵邸などが散在し、渋谷からわずか二駅しか離れていない都心とは思えないほど閑静な住宅街である。この住宅街の一角に所在する蔵造り風の建物が日本民藝館である。総床面積一四〇〇平方メートル強と、個人の邸宅と見紛《みまが》うような小さな美術館だが、一九三六年開館とその歴史は八〇年以上に及び、年間四万人以上の来場者をコンスタントに集めている。この美術館の収集・展示の対象である「民藝」をキュレーションという観点から考えてみるのが本章の趣旨である。

まず考えてみるべきは「民藝」とは何かということだろう。「民藝」というと、観光地で売られている土産物や地域の物産を連想する人が多いに違いない。当然、特定の誰かの造語というわけでもなく、ごく自然に定着した言葉のように思われているはずだ。しかし、実はこの言葉には、大正末期に「民衆的工藝」の略語として造語されたという明確な起源が存在する。鑑賞用の工芸美術ではなく、民衆が日常生活の中で用いる工芸品や雑器を評価の対象とするのがその意図するところだ。非常に安価で、また作家性も皆無であったことから、「民藝」が造語される以前には「下手物《げてもの》」と呼ばれることも多かった。「民藝」の範囲は陶磁器、衣服、家具、仏像など極めて広い。日本民藝館はこの「民藝」を所蔵・展示する美術館である。

この日本民藝館の開館に尽力し、開館後は生涯にわたって館長の座を全うした人物が柳宗《やなぎむね》悦《よし》（一八八九〜一九六一）である。柳は民藝の本質を「第一は実用品である事、第二は普通品である事。裏から云《い》えば、贅沢《ぜいたく》な高価な僅《わず》かより出来ないものは民藝品とはならないわけです。作者も著名な個人ではなく、無名の職人達です。見る為より用いる為に作られる日常の器物、言い換えれば、民衆の生活になくてならぬもの、普段使いの品、沢山出来る器、買《か》い易《やす》い値段のもの。即ち工藝品の中で、民衆の生活に即したものが広義に於《お》ける民藝品なのです」（『民藝の趣旨』／現代仮名遣いに変更、以下同）と説明している。もちろん、元来これらの雑器は「下手物」と呼ばれてほとんど無価値なものとされていたのだから、柳とて最初からこのように考えていたわけではない。柳がこのような独自の認識に至ったプロセスを駆け足で辿ってみよう。

柳宗悦——日本民藝館開館まで

柳宗悦は一八八九年に東京で生まれた。父楢悦《ならよし》は海軍少将まで上り詰めた軍人で水路測量の先駆者としても知られているが、出生の二年後に亡くなったため、宗悦は母勝子（嘉納《かのう》治五郎の実姉）によって育てられ、学習院に進む。学習院では雑誌「白樺《しらかば》」に最年少の同人として参加、武者小路実篤《むしやのこうじさねあつ》、志賀直哉《なおや》、有島武郎《たけお》といった先輩らに可愛《かわい》がられる。よく知られているように「白樺」はユートピア的な反自然主義を標榜《ひょうぼう》した同人誌であり、その独自の世界観が後年の「民藝」にも大きな影響を与えることになる。

学習院を首席で卒業して東京帝国大学に進んだ宗悦は心理学を専攻、その一方でロダン、セザンヌといった西洋美術に耽溺《たんでき》する。だが卒業後間もなく、知人の手引きで知った李朝《りちょう》工芸に魅了されて、しばしば植民地支配下の朝鮮半島を訪れるようになり、一九二四年には有志らとソウルに朝鮮民族美術館を設立する。

朝鮮での仕事が一段落した同年、柳は江戸時代の僧侶木喰《もくじき》が各地に遺《のこ》した木喰仏の造形に魅了されてその研究に着手、またほぼ同時期に後年の同人作家となる濱田《はまだ》庄司や河井寛次郎《かんじろう》らと親交を深め、彼らとの共同作業を通じて「民藝」という言葉を考案、全国を回りながらその収集に励む。コレクションの形成を進めながら宗悦は美術館の建設を構想し「日本民藝美術館設立趣意書」を起草、幾度かの挫折を経て、大原孫三郎や山本為三郎《ためさぶろう》といった実業家の協力を取り付け、「趣意書」の起草から一〇年後の一九三六年に日本民藝館の開館にこぎ着ける。

数々の展示品

日本民藝館は現在約一万七〇〇〇点のコレクションを所蔵しているが、その大半は生前の柳が各地を踏破し、自らの目で選んだものだ。日本民藝館の公式サイトを参照し、そのコレクションを区分ごとに見てみよう。

まず日本国内で収集されたコレクションは、陶磁、染織、木工・漆工・彫刻、絵画、その他の工芸に区分されている。

柳宗悦と木喰仏

陶磁は江戸時代～現代に民間で制作されたものが大半で、伊万里《いまり》、唐津《からつ》、丹波《たんば》、瀬戸など、西日本を中心に全国各地のものが満遍なく集められている。点数は少ないが、縄文・弥生時代の土器も収集されているとのこと。民間の窯業者の手になる「民窯」（官立の窯業者である「官窯」の対義語）が非常に多い半面、著名な作家作品である「在銘陶」がほとんどないのが無名の工人にこだわる民藝館らしい。

染織に関しては、江戸時代から現在に至るまでの様々な衣裳《いしょう》や織物が集められている。素朴な格子の丹波布は、柳が京都の朝市でじかに購入したものだという。

木工・漆工・彫刻でも、全国各地の木工品や漆工芸品が多数収集されているほか、彫刻に関しても、宗悦が民藝に関心を寄せるきっかけとなった木喰仏をはじめとする約八〇点が収集されている。仮面や獅子頭《ししがしら》がここに分類されているのも、一般の博物館とは異なった基準によって収集・分類を行う民藝館ならではの特徴というべきか。

絵画に関しては、江戸時代の「民画」（民間で描かれた絵画）を中心に収集されているほか、鎌倉～室町時代の仏画も収集の対象である。版画、拓本、書蹟もここに含まれる。

金工、石工、ガラス工芸なども収集されているほか、沖縄とアイヌの工芸も、それぞれ個別のスペースを設けて展示されているのも大きな特徴である。日本の南端と北端に取材したこの二つの展示は、柳のマイノリティへの関心を物語るものといえよう。

一方海外では、やはり朝鮮半島のものが多くを占める。朝鮮の陶磁のコレクションは約六〇〇点に達し、高麗《こうらい》時代のものもわずかに含まれるが、大半は白磁の壺《つぼ》や祭器が目をひく李氏朝鮮時代のものである。

木工・漆工も李氏朝鮮時代のものが中心だが、こちらは対照的に赤や黒などの色彩が印象的なものが多い。生前の柳は、「木工品でどこのものが好きかと問われたら、西洋では英国のもの、東洋では朝鮮のものである」と語っていたという。

絵画は在野の無名絵師によって描かれた「民画」が大半で、宮廷お抱えの絵師が描いた「官画」とは異質な雰囲気をたたえている。その他、石工や金工なども収集の対象である。

他には、台湾の原住民族の工芸も収集している。これは、一九四三年に柳が現地調査を行ったときに収集したものである。

中国本土のものでは、明《みん》〜清《しん》代の陶磁や漢〜六朝《りくちょう》の拓本、元《げん》〜明代の細密画などが所蔵されている。また、イギリスの古陶スリップウェアをはじめ、欧米の工芸品も収集されている。他方、無名の工人の手仕事を趣旨とする民藝だが、理念を共有した同人作家は例外で、バーナード・リーチ、濱田庄司、河井寛次郎、芹沢銈介《せりざわけいすけ》、棟方志功の作品が個別に展示されている。

以上すべての展示の共通点として、小さな黒い板に朱色の文字で書かれたキャプションの情報が必要最小限に抑えられていることが挙げられる。観客には、過度に文字情報に依存せず、モノとしての作品から直接情報を引き出すことが求められているのだろうか。

キュレーションの観点から見た「民藝」

　では日本民藝館のこれらのコレクションに対して、キュレーションという観点からはどのようなことがいえるのだろうか。

　まず単純に驚くのが、総計一万七〇〇〇点に達するというその数である。それほどの資産家でもなかった柳が一代でこれだけのコレクションを形成することができたのは、「民藝」の大半が無名の工人の制作した日用雑器であり、タダ同然で入手可能であったからだ。この点に関しては、当の柳も「若《も》し自慢することがあれば、集めた品物の内容に対し、消費した金額が、吾々《われわれ》の場合ほど少量な例は他にないということである」（「民藝館の蒐集《しゅうしゅう》」）と自画自賛しているほどである。民藝館の膨大なコレクションは、柳が自ら定めた「民藝」の定義に忠実に工芸品の収集を進めた何よりの証左である。

　次に驚くのがそのジャンルの広がりである。収集の対象は美術・工芸のほぼ全域に及んでいるほか、「民画」「民窯」という言葉が示すように、無名の工人の作品が多くを占めることが特徴である。また地域的な広がりにしても、北海道、沖縄を含めた日本全土、朝鮮半島、中国・台湾や欧米にまで及んでいる（以前民藝館を訪れたときは、メキシコやイランの工芸品も展示されていたように記憶している)。この現実を前にすると、地域の土産品といった感想が全くの的外れであることがよくわかる。

「民藝」の美術館の設立に向けて奔走していた当時、柳は国内外各所の工房や市で多くの工芸品に接し、その中から自らの定義した「民藝」の基準にかなう工芸品を選《よ》り、購入しては分類・整理する行為を繰り返していた。工芸品の調査や買い付け、分類という形で実行された情報検索・収集・分類のプロセスは、本書でいうところのキュレーションそのものである。

その際の情報選択、すなわち購入する工芸品の選択はいかなる基準によって行われたのだろうか。現在、国公立の美術館では新規に作品を購入する場合には、複数の有識者による作品選定委員会などの合議を通じて決定される。税金で作品を購入する以上、当然その使途には厳密な公平さが求められるからであり、私立美術館でもこれに準ずるシステムを採用しているところが多い。ところが日本民藝館のコレクション形成はこうしたシステムとは一切無縁である。それはあくまでも、柳宗悦という一個人の趣味、審美眼に由来している。個々の展示品はあくまでも柳の審美眼によって選ばれた「作品」であって、人類学や民族学などの学問的見地から選定された「資料」ではないのだ。

では柳の選択基準はいかなるものであったのだろうか。若い頃には西洋美術を、また後年になってもウィンザー風の英国家具を愛好するなど、柳の意識の根底には、歳《とし》を重ねた後でも貴族的な高級文化嗜好《しこう》が残存していた。一方で朝鮮や沖縄の工芸へと深く感情移入し、アイヌや台湾の少数民族の工芸をも収集対象とした柳は、朝鮮の工芸を「哀傷の美」と評したように、マイノリティへの共感やある種の泥臭さに傾倒する一面も併せ持っていた。柳の内面には相互に矛盾した複数の嗜好が併存しており、その嗜好に基づく価値判断によって選ばれる日用雑器のコレクションは、類例のない独特のアトモスフィアを帯びることになった。この柳の主観によって選ばれるという点は、「民藝」の特徴を決定づける要素である。

もちろん、このもっぱら主観に依拠した収集には、例えば同時代の北大路《きたおおじ》魯山人《ろさんじん》や今《こん》和次郎による批判も存在した。魯山人にしてみれば無名の工人の民具の中から一部のもののみを選ぶという柳の姿勢には鼻持ちならないエリート臭が匂っていたのだろうし、また工芸には鑑賞用の「美術工芸」と実用的な「平民工芸」の二種類しかないと考える今にしてみれば、「民藝」は「平民工芸」の中から一部だけを恣意的に抜き取ったもののように感じられたのだろう。

ここである一つの言葉に注目しておきたい。世間では、多くの凡作の中に埋もれた傑作を見《み》出《いだ》す能力、作品の真贋を的確に見抜く能力の持ち主を「目利き」という。「目利き」は様々な分野に存在するが、骨董《こっとう》や古美術の世界では特に重宝される印象がある。今までの論旨からすると、柳もまた「目利き」の一人だったのではないかと考えても不思議ではないだろう。もちろん柳にそうした資質があったことは確かだが、私はそのことは本質的な問題ではないと考える。というのも、「目利き」の本質が玉石混淆《こんこう》の中から傑作を選び出すことにあるのに対して、「民藝」の本質は選ばれた「下手物」に新たな価値が付与されることにあるからだ。キュレーションの観点からは、既存の判断基準に即した形で優れたものを選ぶことと、選んだものによって新しい価値を形成することは、別の次元に位置するといわねばならない。

「民藝」の価値

では柳が自らの主観、審美眼によって数ある日用雑器の中から特定のものだけを選び出すことによって成立した「民藝」の画期性は何だろうか。換言すれば、それは新しい価値を生み出したということだ。これには大きく分けて二つの側面があると思われる。

一つは、「民藝」という新しいジャンルを創出したことだ。「民衆的工藝」の略語であることからも、「民藝」は工芸の一ジャンルとみなすことができる。日本の工芸には近代化以前から各地で脈々と継承されてきた伝統工芸の諸流派、鑑賞用の美術工芸の諸流派、海外（主に欧米諸国）の美意識や技法に多くを依拠するクラフトなど様々なジャンルが存在するが、「民藝」

はこれらのいずれとも異なる特徴を持つ。提唱されて一〇〇年近く経《た》った現在、全国各地で総計二八の民藝館（ゆかりの美術館などを含む）が存在するなど一定の存在感を持ち、海外でもその名を知られている。技術的、造形的な特徴でもなければ流派でもなく、あくまで一個人の主観によって工芸の一ジャンルを形成したことは、紛れもなく柳の慧眼《けいがん》を物語るものといえる。

もう一つが、独自の価値体系を創出したことだ。既に説明したように、「民藝」は日用の雑器の中から選ばれたものであり、もともとは「下手物」と呼ばれていたものでもあるので、それ自体は非常に安価に入手することが可能であり、個々の雑器に市場価値はほとんどない。第二次世界大戦前に収集した作品は、最も高額なものでも九〇〇〇円（当時）だったという。加えて作者は無名の工人ばかりで作家性が顧みられることもないため、美術品や文化財として評価されることもほとんどない。開館から八〇年以上経った現在も、約一万七〇〇〇点の日本民藝館のコレクションのうち、重要文化財に認定されているのは《絵唐津芦文壺《えがらつあしもんつぼ》》ただ一点である。

市場価値もほとんどなければ、美術品や文化財としての価値が認定されているわけでもない、無数の「下手物」をなぜ多くの人がありがたがり、わざわざ鑑賞に訪れるのか。それは「民藝」それ自体に価値があるとみなされているからだ。国内外の各地に遍在した無数の「下手物」のうち、柳の眼鏡にかなった一部が選りすぐられて再構成されたとき、「民藝」と名付けられたその収集は独自の価値を獲得した。

美術史家や骨董商などが価値を認めていない「下手物」にいち早く目を付け、安値で買い集める自らの行為を、柳は「創作的な蒐集」と称し、また「蒐集と呼ぶからには、何等かの存在理由がなければならない。（中略）蒐集はどこまでも質の正しさを追うべきである。それでないと存在の意味が淡くなり、単に個人の変った性癖の現れに過ぎなくなって了《しま》う」（「民藝館の蒐集」）と、自らの価値判断に基づく蒐集の意義に強くこだわっていた。この「創作的な蒐集」は本書でいうキュレーションとほぼ同義といってよいが、この言葉への言及が示すように、柳は収集によって新たな価値をつくりだすことに極めて自覚的だったのであり、鑑賞者はその価値の総体を見に来るのだ、といえるだろう。

「民藝」の背景

もちろん、いかに「創作的な蒐集」を駆使しようとしても、無から有を生むことはできない以上、背景となる価値観や経験が必要とされる。柳が「民藝」の着想に至ったのにはいくつかの理由が挙げられるが、その中でもここでは特に重要と思われるものを指摘しておこう。

一つがその平和主義的な要素である。柳の父が軍人であったことは既に触れたが、軍国少年であった時期は短く、学習院で「白樺」に参加した頃には既に平和主義を志向していたようだ。李朝工芸の発見は朝鮮半島における植民地政策への反対運動と密接に関連していたし、柳がトルストイの『戦争と平和』やマハトマ・ガンディーの非暴力・非服従主義を絶賛したこともよく知られている。日本国内にあって沖縄やアイヌの工芸に強い関心を向けたのも、「弱者」としてのマイノリティに対する共感による部分が大きいのだろう。日本民藝館の膨大なコレクションの中に、刀剣や銃器、甲冑《かっちゅう》といった武具が一切含まれていないことも、その平和主義的な側面を物語る。

半面、柳の平和主義はその偽善性を厳しく批判されることにもなった。柳に限った話ではないが、「白樺」のメンバーのユートピア思想はしばしば世間知らずのお坊ちゃんの夢想と揶揄《やゆ》されていたし、事実、戦時中には思想的には相容《あいい》れないはずの大政翼賛会へと無警戒に接近し、日本の傀儡《かいらい》であった旧満州国（現中国東北部）を「美の国」として称賛してしまったことすらある。柳は満州へと赴き、現地の工芸の調査を行ったことがある。私も数年前に旧満州国時代の遺構をいくつか調査して回ったことがあるが、それらの施設は、長い年月が経過した現在も、かつて日本がこの人工国家で行った様々な実験の痕跡を濃厚にとどめていた。

またしばしばその画期性が評価される朝鮮半島における植民地政策批判にしても、朝鮮人の対日独立を積極的に支援するものではなかった。「哀傷の美」という言葉に象徴されるように、結局は日本の植民地支配という現実を黙認しつつ、自らの美的な趣味を語っているだけではないかとの批判は、柳没後から約半世紀が経過した現在も絶えることがない。

二つめは、仏教思想の影響である。柳は一時期他力系の仏教、とりわけ浄土真宗に深い関心を寄せていた。浄土真宗は悪人でも救済の可能性があるとする「悪人正機」を大きな特徴とするが、柳はこれを「民藝」へと引き寄せ、決して天賦の才の持ち主とはいえない無名の工人であっても、優れた美を生み出す可能性があるものとして読み替えたのではないかと思われる。

さらに独特なのが「無対辞」という概念の理解である。仏教思想に疎い私が適切に要約することは難しいが、「無対辞」とは世界を善悪や美醜といった弁証法的な二元論でとらえるのではなく、一切の対立を包み込んだ「一」なるものとしての仏（神）の境地に達することを理想とみなす思想であるといえる。「柳に風」「暖簾《のれん》に腕押し」などの言葉に片鱗《へんりん》が現れるその概念に、柳は若い頃から一貫して関心を抱いていたらしい。

一つだけ例を挙げておこう。既に述べたように、学生時代の柳は西洋美術に熱中していた。そのため、その数年後に訪れた李朝工芸との出会いはしばしば美的関心の移行のきっかけとして語られてきたのだが、柳の評伝『柳宗悦――「無対辞」の思想』の中で、松竹洸哉《まつたけこうや》は「ブレイク、更には民藝論とその後に至る宗悦の美の思想は、事物に内在する『真性』を直覚していくなかで、自らの生を普遍的世界に繋《つな》いでいく志向性において一貫していた」と断言する。一見断絶しているように見える柳の関心に実は明らかな連続性が認められるとの指摘には、私も賛成である。

三つめはアーツ・アンド・クラフツ運動からの影響である。アーツ・アンド・クラフツ運動とは一九世紀後半のイギリスに出現した美術工芸運動で、産業革命による社会構造の転換で粗悪な日用品が大量に市場に出回ったことへの反発から、中世を理想と仰ぎ、手仕事への回帰を目指そうとした。ウィリアム・ブレイクに関心を抱いていた柳は、その関心の延長線上でごく自然にアーツ・アンド・クラフツ運動の中心を担ったウィリアム・モリスや、モリスに大きな影響を与えた美術評論家ジョン・ラスキンの思想にも接したことだろう。一九二九年には、柳がアーツ・アンド・クラフツ運動の拠点であったケルムスコットを訪れた記録が残されている。アーツ・アンド・クラフツ運動のユートピア的な自然志向は「白樺」とも通じる部分が大きく、柳も共感を寄せたことは想像に難くない。

民藝運動を創始した当初から、民藝とアーツ・アンド・クラフツとの類似を指摘する意見は存在した。柳は戦後に発表した「民藝の立場」（一九五四）で、「私共の民藝運動は、決してモリスに由来するものではない」と、民藝とアーツ・アンド・クラフツの違いを強調しているが、客観的に見て影響を一切受けなかったと考えることは明らかに不自然だろう。

ではなぜ、柳は民藝とアーツ・アンド・クラフツの違いを強調するのだろうか。前に触れたように、柳が「民藝」を発案したのは李朝工芸に触れたことが大きなきっかけであったが、中見真理《なかみまり》によれば、一九一〇年代後半から、柳は日本の工芸が朝鮮や中国の模倣ではないのかという疑いを持つようになり、日本独自の造形は何かと考え、「民藝」へと至ることになったという。「外来の手法に陥らず他国の模倣に終らず、凡《すべ》ての美を故国の自然と血とから汲んで、民族の存在を鮮かに示した。恐らく美の世界に於《おい》て、日本が独創的日本たる事を最も著しく示しているのは、此《この》『下手もの』の領域に於てであろう」と「設立趣意書」でもはっきりと述べられている。確かに、柳の主観に大きく依拠しつつ日本文化の独自性を確立しようとした「民藝」と、産業革命以後の社会変革への異議申し立てであったアーツ・アンド・クラフツの在り方は、その根本において大きく異なっていたといわねばなるまい。

「民藝」の後継者

一九六一年に柳が他界してから既に六〇年近い歳月が経過した。柳が設立した日本民藝館はその後も精力的に活動を展開しており、現在（二〇二〇年一二月）はプロダクトデザイナーの深澤直人が五代目の館長として手腕を振るっている。その他全国には現在二八の民藝館が存在し、それぞれ活動を展開しており、それ以外の施設でも「民藝」の展覧会が開催されることは珍しくない。柳と行動を共にした同人作家の活動もそれぞれ継承されていったし、また収集家という意味では、柳に李朝工芸を手ほどきした浅川伯教《のりたか》・巧《たくみ》兄弟のような同時代人や、美術評論家の青山二郎や白洲正子といった後進にも大きな影響を与えている。これらの施設や人々は、みなそれぞれの流儀で「民藝」を継承しているといえよう。

だが私は、以上の誰でもなく、ここでは杉本博司《ひろし》を「民藝」の後継者とみなしたい。世界的なアーティストとして知られる杉本だが、柳と血縁や師弟関係などのつながりがあるわけではないし、民藝思想の影響を公言しているわけでもない（本人はしばしば「数寄者」を自称している）。にもかかわらずこのような強引な仮説を立てたのは、「コレクションによる価値形成」に焦点を合わせてみたとき、最も後継者と呼ぶにふさわしい存在と考えられるからである。

コレクションに対応する日本語は「収集」だが、「蒐集」と表記されることもある。両者をはっきりと区別できるわけではないが、後者は古美術や骨董で多く言及されるなど、コレクターの趣味を強調する場合に用いられることが多いようだ。してみると、「創作的な蒐集」を標榜するだけあって、柳の趣味が色濃く反映された「民藝」も「蒐集」の所産といえるだろう。私がここで杉本の名を挙げたのは、彼が現在最も「蒐集」の成果に自覚的な一人、いうなれば「創作的な蒐集」の実践者だからである。私は杉本の収集の一部を「杉本博司　趣味と芸術―味占郷／今昔三部作」展（千葉市美術館、二〇一五年）、「杉本博司　ロスト・ヒューマン」展（東京都写真美術館、二〇一六年）、「杉本博司　瑠璃の浄土」展（京都市京セラ美術館、二〇二〇年）などで見る機会があった。杉本と民藝運動の間には何の接点もないが、ここには「コレクションによる価値形成」という一点で共通点を見出すことができる。

杉本のコレクションの射程は広く、自らの商いの対象であった骨董や古美術の他、化石や下手物も含まれている。例えば、「ロスト・ヒューマン」展の会場に展示されていた旧満州国の勲章や看板、マンホールの蓋《ふた》の類は、本人をはじめとするごく一部の人間にしか価値がないという点からも、下手物という以外に形容すべき言葉が見つからない。それにしても気になるのは、個々の品の価格もさることながら、杉本がいかにしてこれらの下手物の所在を突き止め、入手したのかということだ。ここで、現在のように作家として多忙になる以前には、ニューヨークで古美術商として生計を立てていたとしばしば回顧していたことが思い起こされる。これらのコレクションの形成にあたっては、古美術商としての経験を通じて培われた独自の情報網が大きくものをいったに違いない。

これらの古美術や下手物は一見何の脈絡もないが、一つの空間の中で同居するときに見事な調和を形成していることに気づく。杉本の作品が「時間」「終焉《しゅうえん》」「永遠」といったコンセプトによって厳密に統合されていることはよく知られているが、彼はコレクションの展示にあたっても作品制作と同じ原理を導入しているのだろう。これは、彼の収集が柳のそれとも通じるところが大きいと感じられた理由の一端でもある。

ここで杉本が茶道にも造詣が深いことを思い起こしておきたい。二〇一四年の夏、私は杉本がヴェニスのすぐ南に位置するサン・ジョルジョ・マッジョーレ島の一角に構えたガラスの茶室を見たことがある。キューブ状のガラス張りの茶室は、わずか二畳あまりの極小の空間に躙口《にじりぐち》を設け、茶器を的確に収めた、千利休の「待庵《たいあん》」を彷彿《ほうふつ》とさせる作品だった。杉本はしばしば利休について言及しているが、特に私の印象に強く残っているのは以下の一節である。


茶を喫するという日常的な行為を、アートへと高めたのは千利休（一五二二～一五九一）でありました。客を招き、その客の為に掛ける書画を選び、花を入れ、茶碗を吟味し、さらには料理にも季節の趣向をこらす。それらの取り合わせから生まれる予想外な美を、

《硝子の茶室　聞鳥庵（モンドリアン）》、ヴェニス、サン・ジョルジョ・マッジョーレ島での茶会　亭主：隨縁斎　千宗屋

利休は客と共に楽しみました。予想外とは、価値の転換であり、捏造をも意味します。

（『アートの起源』／傍線及び傍点は引用者）

「趣味と芸術」展のカタログでは、架空の料亭である「味占郷」を舞台に、板前に扮《ふん》した杉本が、様々な客をまさに傍線部のような趣向でもてなした様子が詳しく紹介されている。壁にどのような書画を掛けるか、どのような花を生けるか、どのような料理をふるまうかは、客の嗜好などによってその都度異なる（例えば、浅田彰のあるブログ記事によると、彼と磯崎新《いそざきあらた》がもてなしを受けた部屋には、堀口捨己《すてみ》と白井晟一《せいいち》の書が掛けられていたという）。

高価な骨董から奇天烈《きてれつ》な下手物に至るまで、

個々のコレクションは現在の持ち主に辿り着くまでに様々な来歴を有しており、それが独自の価値形成に一役買っている。杉本が「味占郷」のもてなしで行っているのは、それぞれ異なる来歴を持つ数多《あまた》のコレクションを狭い空間の中で統合して一つの価値を生み出す作業だといってよい。杉本が「価値の転換」や「捏造《ねつぞう》」と呼ぶこれらの作業は、紛れもなく彼が長らく生業としてきた古美術・骨董商や深い関心を寄せる茶道の世界で洗練された知恵の延長線上にある。加えてこの手法は、先行作品の文脈を踏まえつつ、既存の文脈に新しい意味を付加することによって作品としての価値を確立していく現代美術の流儀とも共通する部分が大きい。「価値の転換」にせよ「捏造」にせよ情報の収集や取捨選択なしでは起こるはずもなく、その意味ではこれらのもてなしの作業もまたキュレーションそのものであるといえよう。

柳にせよ杉本にせよ、稀代《きたい》のコレクターであることは間違いないし、これといった財産も独自の審美眼も持たない人間が一代でこれほどの収集をなすことは不可能であるに違いない。だが彼らほどのスケールではなくても、独自の基準に基づくコレクションによって新しい価値を生み出すことは、ジャンルの如何《いかん》を問わず誰でも可能なはずである。彼らの「創作的な蒐集」からは、「価値を生み出す生き方」を大いに学ぶことができるのではないか。

第二章　「文脈」のキュレーション

新しい美術館の誕生

二〇〇六年六月二三日、パリ市内のエッフェル塔近くのセーヌ川のケ・ブランリ（ブランリ河畔）に新しい美術館が開館した。その名もケ・ブランリ美術館。地名そのままのそっけない名前とは裏腹に、パリの人類博物館とアフリカ・オセアニア美術館という二つのミュージアムの総計三〇万点以上のコレクションを統合した大規模な美術館である。

この美術館の原型を構想したのは、先史美術の研究者にしてコレクターでもあったジャック・ケルシャシュである。彼は当初ルーヴル美術館に先史美術部門を創設することを思いたち、その必要性を説いた記事を新聞に寄稿したりしていたのだが、その運動の渦中にあった一九九〇年に、先史美術の愛好家であったパリ市長（当時）のジャック・シラクと出会い意気投合、シラクもケルシャシュの理想を共有するようになる。

一九九五年、フランス共和国大統領に当選したシラクは、この構想の実現に向けて動き出し、まず二〇〇〇年にルーヴル美術館に先史美術部門「パヴィリオン・デ・セッション」を創設するが、構想の本命はあくまで新しい美術館の建設にあった。ジョルジュ・ポンピドゥーがポンピドゥー文化センターを構想し、フランソワ・ミッテランがグラン・ルーヴル・プロジェ、オ

定まった順路のないケ・ブランリ美術館の内部展示風景

ペラ・バスティーユ、新国立図書館などを手掛けたように、フランスの戦後の歴代大統領には大規模な文化政策を実現してきた経緯がある。シラクもまたこのプロジェクトを自らの代表的な文化プロジェクトとしたかったのだろう（同館の正式名称はケ・ブランリ＝ジャック・シラク美術館という）。このプロジェクトに対するシラクの深い思い入れは、「世界の芸術と文化に優劣は存在しない」ことや「文化を超えた対話の場」を強調した開館記念セレモニーにも表れていた。

同館を設計したジャン・ヌーヴェルは、汐留《しおどめ》の電通本社ビルなどによって日本でもよく知られている建築家であり、砂漠の夕日のような色合いの美術館建築はあたかも現代美術の専門館のようだ。現代美術的なのは館内も同様で、巨大な展示空間の内部はオセアニア、アジア、アフリカ、南北アメリカの四つのエリア（この四つのエリアは、いずれもルーヴル美術館の守備範囲の外に位置している）に大まかに分けられていて、低い壁で隔てられた、順路の定まっていない空間を観客は思い思いに逍遥《しょうよう》する趣向となっている。熱帯を彷彿とさせる建物周囲の庭園はランドスケープ・アーキテクトのジル・クレモンの、また建物の外壁に植物を植えた「垂直庭園」は、金沢21世紀美術館でも同様のプロジェクトを手掛けたパトリック・ブランの仕事である。仮面、彫像、武具、装身具、楽器、食器、猟具、漁具、テキスタイルなど展示品は実に多彩で、しばらく見ていても飽きることがない。私自身、出張などでパリを訪れた際には決まって同館に足を延ばし、数時間とどまることが半ば習慣となっている。

激しい賛否両論

同館が何よりも画期的だったのはその展示方針だろう。開館の経緯は既に紹介した通りだが、そのコレクションのうち以前から美術作品として扱われていたのは一部にすぎず、コレクションの大半は人類博物館の所蔵する「民族資料」であった。ところがケ・ブランリ美術館では、これらのコレクションをすべて美術作品のような演出で展示しようとしたのだ（それもあってか、同館の名称の日本語表記は「美術館」が一般的である)。展示品の大半は見映えを重視して選ばれたものらしく、ガラスケースに収められた状態でスポット照明を当てられたその展示法は、館内の色彩効果も相俟《あいま》ってか、病室に標本を並べたかのような従来の博物館展示とは全く異質である。展示品に添えられているキャプションにも、美術作品同様に「作者」の名が明記されているものが見受けられるし、ピカソらキュビスムの作家がアフリカの彫刻から、またブルトンらシュルレアリスムの作家がオセアニアや北アメリカの工芸から作品の着想を得ていたという美術史的な文脈も踏まえた説明がなされている。

この斬新な展示方針は新鮮さや刺激を欲する多くの観客から歓迎されたが、同時に各方面からの反発を引き起こすことにもなった。最も直接的なものとしては、貴重なコレクションが「流出」した人類博物館の多くのスタッフが構想段階でこの方針に反発し、一九九九年にストライキを起こしたことが挙げられる。他にも、最新の展示技術を駆使した見映え優先の空間演出が資料としての価値を損ねているとする文化人類学者や民族学者の批判、あるいは先史美術のアノニマスな創造性が西洋的なアートの作家主義的な価値観に従属させられているとする美術史家の批判など、同館の展示方針に対する批判は開館して一〇年以上経った現在も続いている。

ここで私見を述べておこう。同館の方針に対する批判はいたってまっとうなものであると思う。具体例を挙げるなら、現代のアボリジニー芸術を先史美術の文脈の中で展示したことに対するオーストラリア人の不満、さらには自国の作品が極端に少ないことに対するカナダ人の不満は至極もっともだし、「アフリカ、オセアニアの『原始美術』を派手に並べたかったという元来の意図が、植民地だったフランス領インドシナを中心とするアジアも無理に押し込んだ展示のお粗末さに、よく表れている」（「失望と期待と――新博物館が提起するもの」）という川田順造の批判も適切だと思う。同館の展示に問題が多いことは間違いないのだが、にもかかわらず、本書のテーマであるキュレーションという観点に立つ限り、この展示には画期的な意義があるのではないかと考える。今から八〇年近くも前に、あのクロード・レヴィ゠ストロース（彼は一時期、人類博物館に在籍していたことがある）が以下のように述べていたことは、あたかも同館の開館を予見していたかのようにも思われる。

蒐集された収蔵品が民族学博物館を出て、美術館の、古代エジプトもしくは古代ペルシャと中世ヨーロッパ部門の間に陳列される日が、遠からずやってくるに違いない。と言うのも、これらの芸術は、第一級の芸術作品に較《くら》べても遜色がないばかりではなく、また我々が知るようになってからの一世紀半の間に、その多様性においては、あれら第一級の芸術品を遥《はる》かに凌駕《りょうが》するものを持ち、さらには常に新しい様式を生みだす可能性を明らかにしてきたからである。

（『仮面の道』）

積み重ねる「ノート型」から組み換え自由な「カード型」へ

私とて同館の外連味《けれんみ》たっぷりの演出には疑問がある。そうした演出は耳目を集めやすい半面、「作品」のある側面をとらえ損ねる可能性も否定できない。それでも私が同館の展示に一定の意義があると考える最大の理由は、従来の資料展示、作品展示とは異質な情報の収集・分類法にある。

ここで、序章で言及した梅棹忠夫の『知的生産の技術』を思い起こしておこう。梅棹は情報の記録媒体としてノートとカードの二種類を対比し、ノートにはページが固定されていて書いた内容の順番を変更できない欠点があることを指摘し、逆にカードにはページの取り外し、追加、組み換えが自由にできる利点があることを強調していた。この両者の違いを踏まえれば、従来の歴史研究はもっぱらノート型にたとえられる。民族史、宗教史、美術史等々、対象領域の如何を問わず歴史には連続性があり、時系列に従った順番は入れ替えることができないのだから当然といえば当然だ。それゆえ、従来の歴史展示はどうしても単線的な性格を否めなかった側面がある。

ところがここにカード型の発想を導入し順序の組み換えを行えば、従来とは異なるアプローチができるようになり、その結果新しい成果に到達する可能性がある。実際梅棹は、野外調査の記録媒体をノートからカードに変えたことによって、生産性が大きく向上した体験を明らかにしている。博物館の仕事を一種の情報産業であると明言したのも、カード型の情報整理が館長を務めていた民族学博物館の展示に大いに役立った経験を踏まえてのことだろう。

この図式にならえば、人類学、民族学、先史美術といった個々の専門的な研究成果の積み重ねに依拠し、また順路の固定された従来の博物館展示はノート型、一方、複数の分野の研究成果を自在に組み換えてそこから生まれた新しいアイデアを具体化した、定まった順路のないケ・ブランリ美術館の展示はカード型といえるだろうか。二一世紀の現在、実際に研究や展示の現場で活用されているのはデジタル化されたデータベースであろうが、資料を作品として扱うケ・ブランリ美術館の方針の背景に、大胆な情報処理の実践があったことは確かなように思われる。個々に独自の文脈を持つ研究成果をいったん個別の情報の単位にまで解体し、それを組み立てなおして従来の展示とは異なる文脈を持つ展示を構成すること。梅棹のカード整理術や川喜田のKJ法とも通底するケ・ブランリ美術館のそのような展示方針を、ここでは「文脈」のキュレーションと呼ぶことにしたい。

開館直後のインタビューで、館長（当時）のステファン・マルタンは、既存の美術館との対比でケ・ブランリ美術館がインターネット型の美術館であることを明言している。これは、同館の情報検索システムが充実しているといったインフラ面のことばかりでなく、賛否両論を呼んだ同館の画期的な展示方針が、そもそもインターネットを活用した情報処理に大きく依拠していたことをも示しているのではないだろうか。

二〇〇八年から二〇〇九年にかけて、同館では「日本における民藝の精神——民衆的工藝からデザインまで」と題する展覧会が開催された。会期中に訪問の機会がなく、残念ながら見逃してしまったのだが、概要によると前章で言及した「民藝」の概略を忠実になぞりつつ、柳宗理《そうり》のデザインなども紹介し、「民藝」とデザインの生産的な対話を目論《もくろ》んだ意欲的な展示だったようだ。そこには、二つの知的生産技術の出会いを見ることができるのではないだろうか。残念ながらもう確かめる術《すべ》はないが、ケ・ブランリと「民藝」という異質な知的生産の技術がどのように出会い、化学反応を起こしたのかも気になるところだ。

「二〇世紀美術におけるプリミティヴィズム」と「大地の魔術師たち」

もちろん、先史美術と現代美術の類似に注目する視点は、ケ・ブランリ美術館の開館構想より以前から存在した。《アヴィニョンの娘たち》に代表される一時期のピカソ作品にアフリカの黒人彫刻の影響を指摘する意見は、作品が制作された二〇世紀初頭にまで遡《さかのぼ》ることができる。だが、両者の関係を明確に可視化した展覧会が企画されるようになったのは比較的最近のことである。先史美術と現代美術を扱う博物館・美術館を全く別個の文化施設として位置づけている多くの国に共通する文化行政の縦割り構造や、両者をさしたる違和感なく共存させる展示技術上の問題が実現の障壁となっていたのだろう。

西欧近代美術と先史美術の類縁関係をいち早く可視化した展覧会として挙げられるのが、一九八四～一九八五年にニューヨーク近代美術館で開催された「二〇世紀美術におけるプリミティヴィズム」展である。サブタイトルの「部族的なるものとモダンなるものとの親近性」が示すように、先史美術とピカソやブランクーシといった西欧近代美術の類縁性を探る一方、両者を併置しその相似を強調することによって、先史美術（プリミティヴィズム）という言葉の持つ差別的なニュアンスを暴くことがその目的であった。

同展は大きな反響を呼び、多くの観客を動員した。当時アンディ・ウォーホルに高く評価され、作品の共同制作を行っていたジャン゠ミシェル・バスキアも同展を見たのではないかといわれている。一方で同展は、民族美術の作品がもっぱら類縁性を基準に選ばれているため、キャプションには作家名や制作年代など美術作品の展示には必須のはずの項目が記載されておらず、また本来の用途や目的なども無視されていたことなどが槍玉《やりだま》に挙げられ、多くの批判に晒《さら》されることになった。ジェイムズ・クリフォードら人類学者の批判は特に辛辣であった。画期的な展覧会であったことは間違いないが、この時点では先史美術と西欧近代美術の関係を問う企画の精度はまだまだ十分ではなかったのかもしれない。

「二〇世紀美術におけるプリミティヴィズム」展の問題意識を継承してさらに発展させたことで知られるのが、一九八九年にパリのポンピドゥー文化センターで開催された「大地の魔術師たち」展である。同展は西洋、非西洋の区別なく世界中から一〇〇人の作家を選出し、美術の「作品」と仮面や曼荼羅《まんだら》といった「資料」を併置した。すべての「出品作家」に同程度のスペースを与え、キャプションにはすべての作品の作家名を表記し、また全体を「魔術師」という言葉で統括しようとするなど、アート／西洋を徹底して相対化しようとした。これはもちろん、「二〇世紀美術におけるプリミティヴィズム」展で紛糾した様々な議論を踏まえたものでもあった。同展が開催された一九八九年には、ベルリンの壁が崩壊し、東欧諸国で続々と独裁政権が倒れるなど、第二次世界大戦後の世界情勢を長らく規定していた米ソ冷戦構造が急速に終焉を迎えつつあった。同展の企画意図は、第三世界のアーティストが多数登場するようになった九〇年代以降、マルチカルチュラリズムの趨勢《すうせい》に先鞭《せんべん》をつけるものとして評価されるものであった。日本からは河口龍夫、河原温《おん》、宮島達男、勅使河原《てしがはら》宏《ひろし》の四人が参加している。

同展を企画したジャン＝ユベール・マルタンは、その後一九九四年から一九九九年にかけてフランスのアフリカ・オセアニア美術館の館長を務め、同館でもアフリカ・オセアニアの美術と現代美術を併置する展示を行っていた。既に触れたように同館はケ・ブランリ美術館の母体の一つでもあるので、彼の指揮下にあったその活動は当然シラクやケルシャシュの判断にも影響を与えたことだろう。また私事で恐縮だが、一九九三年の夏にマルタンが美術館の学芸員などを対象としたあるセミナーの講師として来日したとき、私は通訳兼世話係として数日間行動を共にしたことがある。そのときの講演やちょっとしたやり取りでも、彼が第三世界の創造性を強調していたことを今でもよく覚えている。

紙幅の関係でここでは二つの事例しか挙げられないが、ケ・ブランリ美術館の展示が、こうした先行の展覧会の成果を踏まえた、先史美術と現代美術の「文脈」を接続するキュレーションの下に成立していることには注意を払っておきたい。

先駆者・岡本太郎

ところで、先史美術と現代美術の出会いというと、日本にも岡本太郎という先駆的な人物がいたことを忘れてはなるまい。岡本太郎は作家であり、自ら作品を制作する立場の人間であったが、ここではあくまでもキュレーションという観点からその活動を見ておこう。

よく知られているように、岡本は戦後間もない一九四八年に初めて「対極主義」を発表して以降、この言葉にしばしば言及するようになる。「対極主義」とは、正反対の性格を持つ二つの要素を対決・共存させることこそ芸術の要諦だという考え方であり、実際戦後の岡本の作品制作や執筆活動は「対極主義」の実践として展開された。それまで考古学の資料としか考えられてこなかった縄文土器に近代美術とは対照的な「四次元の美」を見出したエピソードなどは、まさに「対極主義」の観点から生まれてきたものだろう。この「対極主義」は、二つの情報の対決を通じて新しい価値を生み出すという意味では、キュレーションの観点から考えても非常に明快で有用な立場である。

ところで、岡本の中に「対極主義」の発想が胚胎《はいたい》したのはいつ頃のことだったのだろうか。

それは、一九三〇年代の約一〇年間に及ぶフランス滞在中のことと推測される。岡本が長期のフランス滞在中に何をして過ごしていたのかは既に様々な形で紹介されているので、ここでは必要最小限の情報のみ記しておこう。

両親が帰国した後、一人パリに残った岡本は絵画の勉強に取り組んだ。ところが、多くの日本人が流行に阿《おもね》ってエコール・ド・パリ風の絵画を描いていることに強い違和感を覚えて彼らから距離を置くようになる。一九三二年にピカソの絵画に出会ったのをきっかけに抽象美術に開眼し、シュルレアリスムと双璧をなす抽象美術の運動として知られる「アブストラクション・クレアシオン」（AC）に日本人として唯一の参加を果たすが、やがて抽象美術にも懐疑的になり、ACからも脱退した。一九三七年には画業を中断してパリ大学での学問に専念。最初は哲学を専攻したが、すぐさま民族学へと興味が移行し、マルセル・モースの講義を聴講し始める。ケ・ブランリ美術館の母体の一つとなった人類博物館は、一九三七年のパリ万博を機に前身のトロカデロ民族誌博物館を発展的に継承して開館した施設だが、ちょうど同時期に民族学を学び始めた岡本は、同館にも足繁《あししげ》く通い、多くの展示品を繰り返し見たことだろう。

画壇から西洋の近代美術、哲学を経て民族学へ。パリ時代の岡本の関心の変化を追うと、後年の彼の活動のルーツがどこにあるのかがよくわかるが、ここで当時の岡本に決定的な影響を与えた人物として、ジョルジュ・バタイユの名を挙げないわけにはいかない。記録によると、岡本が初めてバタイユに出会ったのは、まだACに在籍していた一九三六年一月のこと。当時既に抽象美術への強い疑問を抱いていた岡本はたちまちバタイユの思想に魅了され、「社会学研究会」や秘密結社「アセファル」の活動にも参加するようになる（結社の秘密を口外することが固く禁じられていたため詳細は明らかではないが、岡本は供犠にも参加していたことが知られている）。ここで岡本が何を見てどのような刺激を受けたのかは非常に興味深い話題だが、残念ながら今は寄り道している余裕はないので、ここでの経験が後年の「対極主義」にいかにしてつながるのかに絞って議論を進めよう。

　よく知られているように、バタイユは非常に特異な思想家であった。岡本はその思想を以下のように要約している。

> 「右の神聖と左の神聖」その弁証法である。右の神聖は既成勢力であり、公認された諸権威である。ブルジョア的な道徳、無効になった宗教、すべてがこれだ。
> 　それをおかすものが左の神聖である。だから右にとって、左の神聖は常に破壊者、犯罪者、加害者だ。

右の神聖はおかされるものとしてある。否定される条件において神聖なのである。だからわれわれの意志は左の神聖としてそれをうち倒さなければならない。ニーチェの〝神は死んだ〟は第一の命題であった。しかし空虚な残滓《ざんし》は現実のいたるところに残っている。徹底的な否定は絶対的な肯定を前提とする。われわれ自身によって新しい神（神聖）が創造されなければならない。それはたしかに過去に絶望し、現代に裏切られた当時の若い世代が情熱をもってぶつかり、解決しなければならないぎりぎりの課題であった。

（「わが友――ジョルジュ・バタイユ」／傍点原文）

この文章からは岡本のバタイユへの傾倒ぶりが伝わってくるが、半面、常識ではおよそ理解しがたい主張も含まれている。この件に関しては北澤憲昭《のりあき》や椹木野衣《さわらぎのい》が既に論じているので、彼らの指摘も参照しながら検討してみよう。

まず冒頭の「弁証法」である。いうまでもなく、弁証法はヘーゲルが提唱した「正（テーゼ）／反（アンチテーゼ）／合（ジンテーゼ）」から成る三段論法であり、彼の歴史哲学の根幹をなす概念でもある。ところがここで述べられているバタイユの「弁証法」は、それからは遠くかけ離れたものだ。

実は岡本は、「アセファル」の活動に参加していた当時、しばしばヘーゲルの弁証法への違和感を表明していたし、後年にも「ヘーゲルのように理論を前提としたのではなく、この永遠の矛盾に引き裂かれてあることの方がはるかに現実的な弁証法」(「対極」)とも述べている。ヘーゲルの弁証法の理路整然とした構造に、ACが志向していた純度の高い抽象美術と同じ匂いを嗅ぎ取ったのかもしれない。それは、岡本がAC、やがては「美術」そのものから離脱し、民族学へと傾倒していくプロセスとも軌を一にしていた。そこで、近代ヨーロッパの精神そのものといってよいヘーゲルの弁証法に代わるものとして登場したのが、バタイユの弁証法だったというわけである。

ではバタイユの弁証法はいかなる図式の下に成り立っているのか。既成勢力としての「右の神聖」と、破壊者、犯罪者、加害者としての「左の神聖」。言葉遣いのおどろおどろしさは措《お》くとして、とりあえずここまでの図式はヘーゲルの「正」「反」と同じである。しかしその先にあるのは両者の対決や侵犯であって、「合」に相当する部分が存在しない。この常識的にはおよそ弁証法といいがたい図式を岡本が大いに歓迎したことは、後年の「対極主義」の中で「強烈に吸引し反撥《はんぱつ》する緊張によって両極間に発する火花の熾烈《しれつ》な光景」「引き裂かれた傷口」「無機・有機、抽象・具象、吸引・反撥、愛・憎、美・醜、すべてこれらの引き裂かれたからみあい」等々に言及していることからも明らかだ。

このように、肯定と否定を対決させ、「神は○○ではない」という否定形によって聖性にアプローチしようとする考え方を「否定神学」という。私の知る限り岡本が否定神学に言及したことは一度もないのだが、「対極主義」は「否定神学」を我流に解釈し読み替えたものといってもいいだろう。岡本にとっては「合／ジンテーゼ」によって対決や侵犯、分裂のエネルギーが失われることは認めがたかったのである（ところで、旧東京都庁舎や大阪万博などでしばしば岡本と協働した丹下健三はヘーゲル弁証法の信奉者であり、そのデザインには正／反／合のロジックが隅々まで浸透していた。両者の協働には、ヘーゲル主義と反ヘーゲル主義の対決という一面もあったといえる）。

周知のように、一九六〇年代以降の岡本は工芸やデザインなど絵画以外の作品制作を積極的に手掛けるようになり、テレビタレントとしても活躍するようになった。八〇年代以降の岡本の代名詞であった「爆発」も、本人にとっては対極主義の実践であったのかもしれないが、これらの時期の作品は、いずれも質や強度という点で代表作には程遠い。とはいえ、その中でも、《太陽の塔》は例外中の例外といわねばなるまい。

今さら説明の必要もあるまいが、《太陽の塔》は一九七〇年の大阪万博のメイン会場を覆っていた大屋根を突き破るように立っていた異形の塔であり、本人は「ベラボーなものを対決させる」と建てた意図を語っている。「ベラボーなもの」が何を指すのか岡本は明らかにしていないが、「人類の進歩と調和」をテーマに掲げ、そのテーマにふさわしい未来志向の建築が林立していた万博会場と、呪術的といってもいい《太陽の塔》の前近代的な造形を対照すれば、そこに対極主義が力強く作用していることは誰の眼《め》にも疑いないだろう。それから半世紀、未来都市の景観がとうの昔に失われてしまった現在も、《太陽の塔》はそのままの姿で立ち続けている。報道写真で見ただけだが、二〇二〇年の春に赤くライトアップされた《太陽の塔》は、さながら破裂寸前の原子炉のようだった。

ケ・ブランリ的なものの継承（1）——コンフリュアンス博物館

ケ・ブランリ美術館の開館は大きな反響を呼んだが、その影響を考えるにあたって二つほど格好の事例を検討してみたい。一つはコンフリュアンス博物館、もう一つはＪＰタワー学術文化総合ミュージアム・インターメディアテクである。

コンフリュアンス博物館はフランスのリヨンに所在する、人類学と東洋美術を主たるコレクションと展示の対象とする博物館である。コンフリュアンス（confluence）とは「合流」を意味するフランス語で、その名の通り、この博物館はリヨン市内のローヌ川とソーヌ川の合流地帯

コープ・ヒンメルブラウ設計のコンフリュアンス博物館

に位置しており、その宇宙船のような外観には、何とも忘れがたい強いインパクトがある。二〇〇九年の秋、私はオーストリアの建築家ユニット、コープ・ヒンメルブラウの展覧会を東京のNTTインターコミュニケーション・センター（ICC）で見たときに、彼らがこの先駆的な博物館の設計を手掛けていることを知った。建設予定地を初めて訪れたのは翌二〇一〇年の夏のこと。まだ着工前の現場は一面の砂利だったが、周囲の河岸には建設を予告する看板が設置され、また片隅の小さなプレハブ小屋には博物館の模型とコンセプトを記載したパネルが展示されていて、近い将来ここに博物館が開館することが強く実感された。

二〇一四年一二月二〇日、コンフリュアンス博物館は待望の開館の日を迎えた。私が同館を訪れたのはそれから六日後のことだった。開館して間もない上にクリスマス休暇明けということも手伝って、入り口には順番待ちの観客が長蛇の列を作っていた。

コンフリュアンス博物館は、リヨンの自然史博物館とギメ美術館の二つを母体とする。前者が膨大な博物資料を所蔵する一方、後者はパリを拠点とする著名な東洋美術の専門館であり、新しい博物館の建設構想が浮上した二一世紀初頭、両者の出会いはマルコ・ポーロの『東方見聞録』にもたとえられたが、全く異質な二つのコレクションを統合するにあたって、館が打ち出したコンセプトが「人間」であった。

五階建ての施設は二階が企画展、三階が常設展のためのスペースとなっている。本章での焦点は当然三階だ。常設展の展示は「起源　世界の物語」「種　生物の網」「社会　人間の劇場」「永遠　その先のビジョン」の四部構成となっている。極めてスケールの大きな展示がどのように構成されているのか、順を追って見ていこう。

「起源　世界の物語」では、世界の起源についての物語が主に二通りの解釈によって示される。一つはビッグバンに始まる科学的なアプローチ、もう一つはイヌイット、アボリジニーといった先住民族や、中国、インドなど世界各地に伝わる伝承をモチーフとしたもので、いずれも豊富なコレクションによって展開されている。

「種　生物の網」では人間とは何か、人間なるものと人間ならざるものの相違や境界が動物標本を中心とした様々な展示品を通じて検証される。

「社会　人間の劇場」では人間が他者と交流し、社会を形成し、文明を生み出す存在であることが様々な展示品を通じて検証される。ここでの展示には舞台演出《セノグラフィ》の手法が生かされている。

「永遠　その先のビジョン」では、人間と他の生命との違いとして、人間が死後の再生や永遠の生命を願い、祈りや祭祀《さいし》を発展させてきたことに注目する。今までとは一転して展示の景観は未来的だが、その問いは古くから存在するものだ。

先にケ・ブランリ美術館の展示を「カード型」にたとえたが、コンフリュアンス博物館の展示にも、博物学や東洋美術に由来する多くのコレクションを自在に組み換えて統合しなおすという同様の方法が取り入れられていることがわかるだろう。コープ・ヒンメルブラウによる宇宙船のような美術館建築は雲とクリスタルをイメージしたもののことだが、クリスタルの透明性は、可能な限りバリアを排除した博物館の方針を示しているようにも思われる。

ケ・ブランリ的なものの継承（2）——インターメディアテク

一方、日本国内でケ・ブランリ美術館に類する試みを行っている施設として真っ先に挙げられるのが、ＪＰタワー学術文化総合ミュージアム「インターメディアテク」（ＩＭＴ）である。同館は日本郵便と東京大学総合研究博物館が協働で運営する産学協同型のミュージアムで、東京駅最寄りの旧東京中央郵便局舎（KITTE）をその拠点とする。「インターメディア」は直訳すれば「間メディア」（今から半世紀以上も前に、アラン・カプローが「インターメディア」と呼称する環境を創出しようとしたことがあるが、ひょっとしたらそのことも意識したネーミングなのかもしれない）となるが、その名の通り各種の表現メディアを架橋することで新しい文化の創出を目指した実験的な施設である。眞子《まこ》内親王が特任研究員を務めている施設、といえばピンとくる読者もいるだろうか。

ＩＭＴの母体である東大総合研究博物館には、東大が一八七七年に開学して以来の膨大な量の学術資料が所蔵されている。同館は一九六六年に設立された総合研究資料館を一九九六年五月に改組拡充する形で発足し、東大本郷キャンパス構内にある本館のほか、二〇〇一年には小石川植物園内に小石川分館が、二〇一四年には東京ドームシティの宇宙ミュージアム TeNQ に太陽系博物学寄附研究部門の研究室分室が開設された。二〇一三年に開館したＩＭＴもその一部であり、東大が所蔵する学術資料を活用した常設展や先端的な学術研究成果を発表する企画展を開催し、また「アート＆サイエンス」を主軸とした各種のイベントや講演などを開催することがその役割ということになる。約三〇〇〇平方メートルという床面積は決して大規模なものではないが、どのような展示が行われているのかを見てみよう。

ＩＭＴが二、三階に入っている旧東京中央郵便局舎は、リノベーションされているとはいえ長い年数を経た古い建物である。それを生かすべく、空間もそのレトロモダンな雰囲気を基調としており、展示には戦前につくられた木製の什器《じゅうき》と肉厚のガラスケースが用いられている。展示品としては、現生動物や絶滅動物の骨格、鉱物標本、壺型土器、地球儀、地図などが挙げられる。巨大な標本などは、ケースに収めずそのままの状態で展示されている。これらの展示品は、通常の博物館のようにジャンル分けされておらず、同じ空間の中で異質なものが出会うようにデザインされているのも特徴だ。ここにもまた、ジャンル分けに固執しないカード型の展示の一例を見ることができる。当然、定まった順路も存在しない。

ＩＭＴの展示デザインの大きな特徴として、ギャラリーの展示を限られた空間に多くの作品を配置したバックヤードに見立てた「収蔵展示」が挙げられる。これは、コレクションの数に対して施設の床面積が十分とはいえないことを念頭に置いた苦肉の策ではあるのだが、この方式によって、限られたスペースで多くのコレクションを展示できるようになり、また来館者に対してはバックヤードを見学し、研究の現場に接しているかのような教育的な効果を期待できるようになった。そのような展示デザインに対応して、IMTの展示スペースには、「収蔵庫」を意味する「ストレージ」をはじめ、可動壁からなる「モデュール」やホワイトキューブをもじった「グレイキューブ」など、ユニークな名を持つものもある。

IMT館長の西野嘉章《よしあき》は、「モバイルミュージアム」を提唱していることで知られる博物館工学の研究者である。「モバイルミュージアム」とは、「展示コンテンツをユニット化し、あちこちの場所に、単体として、あるいは複合体として、中長期にわたって仮設し、公開する」ことを「ローテーション化」した事業の名称である（『モバイルミュージアム　行動する博物館』）。今までにも廃校や民間企業など館の外部にコレクションを貸し出して活動してきた実績があり、私もそのコレクションの一部が展示設営を請け負ったディスプレイ業者の応接室に展示されているのを見たことがある。もちろんIMTは不動の展示室や所蔵庫を有するれっきとしたミュージアムだが、そのコレクションをすぐに館外に持ち出して展示できるようにユニット化されているという意味では、「モバイルミュージアム」と共通しているのかもしれない。IMTの展示方針について、西野は「読むことを通して概念を理解するミュージアムでなく、視《み》ることを通して創造を惹起《じやつき》するミュージアム」（『インターメディアテク――東京大学学術標本コレクション』）と述べている。

またＩＭＴには「ケ・ブランリ・トウキョウ」と呼ばれるケ・ブランリ美術館の所蔵作品を公開するスペースが設けられている。アジア、アフリカ、オセアニア、南北アメリカの諸地域から象徴的なアイテムを選び、定期的に展示の入れ替えを行うという。館同士の学術交流の産物だが、これは単に対象とするジャンルが近いというだけではない、本書でいうところの「カード型」の展示にも対応した関係なのではないだろうか。二〇一三年の「ＤＳＡ空間デザイン賞」大賞及び日本経済新聞社賞を受賞するなど、そのディスプレイが高く評価されているＩＭＴの展示は、キュレーションという観点からも多くの刺激に満ちている。

第三章　「地域」のキュレーション

ホワイトキューブ以後

まずオーソドックスな美術展の話から始めよう。

長谷川祐子の『キュレーション』では、「キュレーターは、展覧会やプロジェクト企画の実現を通して、鑑賞者と作品を媒介する。作品と人とを出会わせ、作品についての理解をうながすことを、主たる仕事としている」と、キュレーターという「業態」についての説明がなされている。展覧会企画者としてのキュレーターについての、いたって的確な説明である。

同書によると、教会や王侯貴族の邸宅で作品が展示、鑑賞されていたプレモダンの時代にはキュレーターは存在しなかったという。キュレーターが必要とされるようになったのは、一九世紀以降、近代芸術が個に委ねられ、ホワイトキューブの中で自律させられるようになってからのことであった。

ホワイトキューブとは文字通りの「白い箱」、すなわち、白無地の垂直な壁と水平な天井によって構成され、出入り口以外の開口部や柱や梁《はり》などが一切ないのっぺりとした空間のことを指す。この何とも均質で味気ない空間は、美術作品を鑑賞するにあたっては、視覚を遮る不純物が一切ない空間こそ最良だというモダニズム美術の考え方の上に成立したものだ。この空間の中では、伝統的な額装でさえ視覚を遮る無駄な装飾とみなされ、絵画は剝《む》き出しのまま壁に掛けられることが一般的である。

長谷川がホワイトキューブの典型として挙げているのが、ニューヨーク近代美術館（MoMA）である。美術館といえば、誰もがルーヴルやメトロポリタンに代表される神殿のようなたたずまいを連想していた頃、一九二九年に開館した同館は、神殿には程遠いオフィスビルのような建物の一角に陣取っていた。当然、館内も均質で味気ないホワイトキューブばかりだったが、そこで行われた柿落《こけらお》としのセザンヌ、ゴーギャン、スーラ、ゴッホらの展示は美術史上に残る画期的なものとして語り伝えられている。それは、作品自体の素晴らしさもさることながら、展覧会のコンセプトや作品の選択、個々の作家や作品を世界の同時代の美術史の中に位置づけるかのようなキュレーションの的確さに負うところが大きい。この展覧会のキュレーションを手掛けたのが、同館の初代館長であったアルフレッド・バー・Jr.である。一九世紀末から二〇世紀前半にかけての様々な美術の動向を、進化の系統樹のように整理した「美術史チャート」の制作者だといえば、思い出す読者もいるのではないだろうか。

このように、二〇世紀の美術は主にホワイトキューブを舞台として展開されてきたのだが、第二次世界大戦後にホワイトキューブからの脱却を目指した動きが顕在化する。現代美術の動向を追うことは本書の目的ではないので詳細は省くが、重要なキーパーソンの一人としてハラルド・ゼーマンの名を挙げておこう。

ハラルド・ゼーマン――インディペンデント・キュレーターの先駆者

ハラルド・ゼーマンといっても、その名を知る者は多くあるまい。ゼーマンは一九三三年スイス生まれ。大学で美術史と考古学、ジャーナリズムを専攻した後、クンストハレ・ベルンのキュレーターとなり、一九六一～一九六九年には同館の館長を務めた人物である。二〇代の若さで館長に上り詰めたキャリアが物語るように、ゼーマンは非常に有能なキュレーターであった。一時は年間一二～一五回の展覧会を企画したというのだから、いつ休んでいたのだろうと思わずにいられない超人的な精勤ぶりではないか。しかし、それだけならば他にも代わりはいる。ゼーマンが唯一無二の存在となったのは、その後の仕事によってなのである。

一九六九年、周囲との軋轢《あつれき》によってクンストハレ・ベルンの館長職を辞したゼーマンは「独立」を宣言し、合わせて自らを「展覧会屋」と規定した。要するに、これからはフリーランスの立場で展覧会企画を行っていくという立場を表明したわけである。とはいえ、美術館に所属していない以上は当然自ら企画を立てて売り込み、多くのアーティストから参加の了承を取り付け、予算や会場の確保に奔走しなければならないし、展覧会から派生する様々な雑務を一人でこなさなければならない。何しろ、美術館や博物館に所属しないキュレーターなど誰一人存在しなかった時代に、フリーの「展覧会屋」が仕事として成立するかどうかは当のゼーマン自身も半信半疑だったに違いない。

一九七二年、フリーとなっていたゼーマンに新たな転機が訪れる。この年、ドイツのカッセルで開催予定だった国際芸術祭「ドクメンタV」が、ゼーマンを芸術監督に指名したのだ。当初「ドクメンタ」は一九五五年にドイツの地方都市カッセルで始まった国際芸術祭である。当初はナチス政権に「退廃芸術」の烙印《らくいん》を押されたモダニズム美術の復権を大きな目的としていたが、第二回以降は同時代の最先端の美術を紹介する展示へと路線変更し、国別展示と賞制度を大きな核としていたヴェネチア・ビエンナーレとは異質な国際芸術祭として注目されるようになる。テーマと参加作家の選出を一手に担う芸術監督の任命は「ドクメンタV」の最大の目玉であったが、その地位に抜擢《ばってき》されたのがゼーマンだったわけである。

彼がクンストハレ・ベルンの館長時代に数多くの展覧会を企画していたことは既に述べたが、その多くはヨーロッパとアメリカの新進アーティストの作品を併せて展示するものであった。なかでも、一九六九年に開催された「態度がかたちになるとき」展は、当時最先端の動向であ

「ドクメンタＶ」の野外展示の様子

ったミニマル・アートとコンセプチュアル・アートのアーティストの作品が一堂に会して大きな反響を呼んだが、その先鋭的な姿勢はベルン市当局の不興を買い、館長の地位を追われてしまう。ドクメンタ当局は、この一部始終を知った上でゼーマンを指名したのである。

「ドクメンタＶ」にはリチャード・セラ、ポール・セク、ヴィト・アコンチ、ジョアン・ジョナス、レベッカ・ホルンといった多くのアーティストが参加し、絵画や彫刻だけでなくインスタレーションやパフォーマンス、さらには《直接民主制のオフィス》と呼ばれるヨーゼフ・ボイスの公開討論に至るまで、多種多様なジャンルの作品が展示され、国内外で大きな反響を呼んだ。国籍も作風もバラバラなこれらの作家を一つの展覧会として統合しえたのは、まさしくゼーマンの巧みなキュレーションのなせる業だった（ゼーマンは膨大な情報をリサーチし、現代美術に限らない様々な知見を動員して行う自らのキュレーションを「構築されたカオス」と称している。「構築」と「カオス」は相反する意味の言葉だが、彼の内面では矛盾することなく統合されているのだろう）。「ドクメンタ」に限った話ではないが、国際芸術祭では美術館以外にも他の公共施設や民家、公園などの屋外にも作品が設置される。当然、作品が設置される空間もホワイトキューブとは限らない。その作品の鑑賞はMoMAに代表されるホワイトキューブとは全く異質な体験をもたらすものだったのである。

「ドクメンタV」に対する賛否両論の大きな反響によって名声を得たゼーマンの下には、様々な展覧会企画のオファーが舞い込むようになり、「独身者の機械」展（一九七五）、「真理の山」展（一九七八）、「総合芸術への志向」展（一九八三）、「薔薇《ばら》のレースの中のオーストリア」展（一九九六）、「幻視のベルギー」展（二〇〇五）などの展覧会を次々と実現していった。それは、フリーランスの身分で展覧会の企画を請け負う、いわゆるインディペンデント・キュレーターという新しい業態の確立と軌を一にしていたといっていい。現代美術の分野で、現在世界で最も影響力のあるキュレーターの一人であるハンス・ウルリッヒ・オブリストは、若い頃にゼーマンの企画した展覧会を見てキュレーターを志したことを明言している。また現在では、多くの作家が参加した展覧会を一人のキュレーターの「作品」とみなす見解も存在する（これは、一本の映画を多くのキャストやスタッフの集団作業の成果ではなく、一人の監督の作品とみなすヌーヴェルヴァーグの「作家主義」から派生した立場である）。今日ゼーマンが単に有能なキュレーターの域を超えた唯一無二の存在と考えられているのは、インディペンデント・キュレーターという業態の確立による部分が少なくない。

思想史のキュレーション

一方、ゼーマンには全く違った一面もあることも指摘しておこう。一九九一年、ゼーマンは「幻視のスイス」という展覧会を企画する。この展覧会はスイスのマイナーなアーティストを数多く紹介するものだったらしいが、残念ながら資料が不足していて詳細は不明な点が多い。それよりも驚くべきは、この展覧会カタログの巻末にジルベール・クラヴェルなる人物の詳細な資料が大量に掲載されていたことである。「小説家」を自認していたクラヴェルだが、現在その作品はほとんど読まれておらず、ナポリ近郊の景勝地カプリ島の近くの岩肌にある「ポジターノの建築群」を建てたこと以外、そのキャリアに特筆すべき点はない。

膨大な情報のリサーチはゼーマンの仕事の特徴でもあるが、それにしてもなぜ、展覧会カタログに出品作家でもない無名の人物の詳細な資料を掲載したのだろうか。ゼーマンはその理由を「あるヴィジョンとオブセッションに捧《ささ》げられた生が典型的に描き出されているからだ」と説明している（私もこの言葉が何を意味するのかを自分なりに理解したのは、後述の田中純の著作によってだった）。「幻視のスイス」展を終えた後も、ゼーマンはクラヴェルについて調べ続け、この無名の人物がその生涯を通じて様々なことを体験し、一九世紀末のデカダンスから二〇世紀初頭のアヴァンギャルドへと続くヨーロッパの精神的伝統を体現する人物であることを確信するに至ったという。

以上の事実を、私は田中純の労作『冥府の建築家』を通じて知った。「ジルベール・クラヴェル伝」のサブタイトルが示すように、同書はクラヴェルについての浩瀚《こうかん》な評伝である。田中は留学中に「幻視のスイス」展を見たことがきっかけでクラヴェルという人物を知り、興味を持って調べるうちに、企画者のゼーマンが彼に向けた妄執《オブセッション》を共有するに至ったという。確かに、日記や手紙などの一次資料を事細かに調べ上げ、この無名の人物の背後に潜むヨーロッパの巨大な精神的伝統を明らかにしていく田中の筆致は、あたかも二〇〇五年に亡くなったゼーマンが憑依《ひょうい》したかのようだった。

クラヴェルという人物へのこだわりは、「ヨーロッパの巨大な精神史的系譜を展覧会というかたちで追求しつづけてきた」（『冥府の建築家』）ゼーマンにとっては、ある意味当然のことであったのかもしれない。ゼーマンが美術館に所属しないフリーランスのキュレーターという業態を確立したことはもちろん重要だが、思想史・精神史といった、展覧会という形で視覚化することが難しい言語情報にも、キュレーションの対象として多大な関心を寄せていた事実に注目しておきたい。

地域アートの誕生――北川フラムと里山アート

「ドクメンタ」に代表される国際芸術祭は冷戦崩壊後の一九九〇年代に東アジアへと波及し、一九九五年に始まった光州《クアンジュ》ビエンナーレを皮切りに、上海《シャンハイ》、シンガポール、釜山《プサン》などの諸都市で新たな芸術祭が続々と産声を上げた。これらの芸術祭に共通するのは、いずれもたった一人の芸術監督が開催テーマを決定し出品作家を選出する、いわゆる「ドクメンタ方式」を採用していることだ。芸術祭は期間限定のイベントであり、芸術監督の仕事は短期間の契約によって委託されるので、特定の組織に所属していないインディペンデント・キュレーターは、手腕が確かであれば芸術監督として最適の人材である。国際芸術祭の波及は、東アジアにも本格的なキュレーターの活躍の場をもたらしたといっていい。

そして、他の東アジア諸国の後塵《こうじん》を拝していた観のある日本も、二一世紀になって多くの国際芸術祭が林立するようになる。ヨコハマトリエンナーレ、あいちトリエンナーレ、札幌国際芸術祭などが代表格だ。これらはいずれも大都市を舞台とした都市型の芸術祭であり、芸術監督制を採用していることは他の芸術祭と同様である。もちろん一定の地域色、独自色はあるものの、開催テーマにしても出品作家にしても、欧米の芸術祭と比較して際立った違いは認められない。これらの事実は、日本の現代美術が依然として欧米の後追いであることを再確認するものといえるだろう。

ところが日本にも、越後妻有《えちごつまり》アートトリエンナーレや瀬戸内国際芸術祭などに代表される、地方を舞台とする国際芸術祭がある。これらは、欧米のそれとは大きく異なる独自色の強いもので、最近は「地域アート」と称されることが多いようだ。この「地域アート」という問題に、本書のテーマであるキュレーションという観点からアプローチするとき、いち早くクローズアップされてくるのが、北川フラムの存在である。

北川フラムは一九四六年新潟県生まれ、大学卒業後に版画の販売を手始めにアートプランナーとしての活動に着手し、一九七〇年代後半には当時日本でほとんど知られていなかったアントニ・ガウディをいち早く紹介した。一方で一九八〇年代後半には「アパルトヘイト否《ノン》！国際美術展」の日本開催の窓口を務めて注目を浴び、一九九〇年代には立川市の大規模なパブリックアート事業である「ファーレ立川アートプロジェクト」を手掛けるなど、閉鎖的な美術業界にあって、美術館の学芸員とは全く異なるアプローチによって独自のキャリアを積み上げてきた人物である。そんな彼が現在の越後妻有アートトリエンナーレに着手するようになったのは、一九九〇年代末に大規模な芸術祭の構想を持っていた平山征夫《いくお》新潟県知事（当時）が、そのキーパーソンとして地元出身の著名なアートプランナーであった北川を指名したことがきっかけであった。

第一回越後妻有アートトリエンナーレが開催されたのは二〇〇〇年のこと。「大地の芸術祭」を謳《うた》っていたとはいえ、この時点ではまだ日本各地で広く行われていた野外彫刻展を拡大したような雰囲気の展示だった。ところが回を重ねるにつれて、トリエンナーレは大きく変質していく。過疎や限界集落、人口減に伴う小中学校の統廃合、二〇〇四年に大きな被害をもたらした新潟県中越地震からの復興など地域固有の問題に、多くの作家が現地に長期滞在し、深く向き合った作品を発表するようになったのだ。

他の国際芸術祭では、作家の選出は芸術監督に一任という建前になっているとはいえ、実際にはアドバイザーを務める海外の著名なキュレーターや美術評論家からの推薦によって出品作家が決まる事例が多いようだ。それはまた、各地の国際芸術祭で参加作家の顔触れが重複する原因ともなっている。ところが越後妻有アートトリエンナーレでは、北川がすべての権限を掌握し、作家の選考もすべて一人で行っている。その基準はホワイトキューブでの展示を前提としたモダニズム的なものとも、アートマーケットの評価を踏まえたものとも全く異なるもので、若干のビッグネームも含まれているとはいえ、他の国際芸術祭であればまず選出されないであろう地域の無名作家が多数を占めることになる。

北川の独自の手法を、ここでは「地域」のキュレーションと呼ぶことにしよう。近年まで、日本では現代美術のコレクションを所蔵し、展覧会を開催する美術館は一部の大都市に集中していた。当然、それらの作品を愛好する層も限られていた。ところが北川は、都市から遠く離れた山村や離島に現代美術の作品を展示しようとした。現地に住んでいるのは、現代美術など全く見たこともない高齢者が大半であり、彼らに現代美術への関心を持ってもらうことはほとんど不可能なはずであった。その不可能を可能にしたのが、現地に長期滞在して地域の人々と交流し、地域特有の問題を反映した作品を制作する作家や、彼らを支援するボランティア「こへび隊」の存在である。地域の高齢者は、彼らとの交流を通じて、少しずつ現代美術への関心を抱くようになっていったのだ。

この試みは、山間部の隅々にまで道路が張り巡らされた新潟県特有の交通インフラがあって初めて可能なことであった。これらの道路網は、「今太閤《いまたいこう》」とも「闇将軍」とも称された田中角栄の利益誘導政治によってもたらされたものである。晩年は良寛の研究に没頭した北川の父省一は、農村共同体の設立を夢見て挫折した人物であり、また北川自身も若い頃は学生運動の闘士として名を馳《は》せたことがあるのだが、その手法はさしずめ「田中角栄のアート版」とでも呼ぶべき側面があるのである。

ツーリズムと地域アート

ここで視点を変えてみたい。世の中で、旅行が嫌いだという人は少数派だろう。私も旅行好きを自認する一人であり、行先や目的は様々だが、旅行に出かけることは日常生活の中で最大の楽しみの一つである。

唐突に旅行の話題を持ち出したのには二つの理由がある。一つは、国際芸術祭を観光という観点から考えてみたいからである。実際、本章で取り上げたドイツ・カッセルの「ドクメンタ」や越後妻有アートトリエンナーレは、いずれも多くの来場者を集める観光資源としての側面も持っている。私も仕事柄地域の芸術祭を訪れることが多いのだが、なかには取材などを伴わない、単純に観光といっていい場合もある。

論より証拠で、ここで「ドクメンタ」と越後妻有アートトリエンナーレの観客動員数に注目してみよう。「ドクメンタ」は二〇〇七年の第一二回で七五万四三〇一人、二〇一二年の第一三回では八六万人を記録している。舞台であるカッセルの人口が二〇万人前後なので、三カ月の会期中にその三倍以上の来場者があったことになる。私も二回現地を訪れたことがあるが、いずれもホテルの予約に苦労したことをよく覚えている。それほど著名な観光地でもない地方都市にこの期間だけ観光客が急増するため、宿泊先の供給が追い付かないからだろう。一方、越後妻有アートトリエンナーレの各回の観客動員数は以下の通り（第一回一六万二八〇〇人、第二回二〇万五一〇〇人、第三回三四万八九九七人、第四回三七万五三一一人、第五回四八万八八四八人、第六回五一万六九〇人、第七回五四万八三八〇人）。会場の越後妻有地区は限界集落が点在する人口六万人程度の過疎地帯なのだが、動員数という観点でいえば、大都市を舞台とするヨコハマトリエンナーレやあいちトリエンナーレとも遜色のないものであることがわかる。

美術鑑賞を目的とした旅行には長い歴史がある。エルサレム、バチカンと並ぶカトリックの聖地とされるスペイン・ガリシア州の州都サンティアゴ・デ・コンポステーラの大聖堂を目指す巡礼は「聖ヤコブの遺骸」を鑑賞するための旅行でもあるし、イギリスの有閑階級の青年には教養修行のためにイタリア美術などを見て回る「グランド・ツアー」という旅行の伝統があった。地域の芸術祭を訪れる現象は、それらの伝統が現代風に世俗化されたものと考えられなくもない。とはいえ、しばしば難解で特有のリテラシーを求められることが強調され、また展覧会の観客動員も振るわないことの多い現代美術が、多くの来場者を集める観光資源として重宝されることは俄《にわ》かには信じがたい。少なくとも、上記の「ドクメンタ」や越後妻有アートトリエンナーレの動員数は、現代美術に馴染《なじ》みのない一般客が数多く訪れなければ到達不可能な数値である。そうした一般客は、果たして何を目当てに国際芸術祭を訪れているのだろうか。

まず考えられるのが、その祝祭的な雰囲気である。寺社の縁日や学園祭などを例に出すまでもなく、一定以上の規模の催事は決まって祝祭性を帯びるものである。これは現代美術であっても例外ではない。二〇一〇年の第一回「あいちトリエンナーレ」を取材したとき、芸術監督の建畠哲《たてはたあきら》はしきりに大規模芸術祭のスケールメリットを強調していた。しばしば難解といわれる現代美術だが、街中に多くの作品が設置される大規模開催によって生まれる祝祭的な雰囲気には、観客への敷居を大きく下げる効果がある。回を重ね定着した芸術祭は、貴重な観光資源へと成長することだろう。

同様に、現代美術が地域活性化の役割を担っていることもしばしば指摘される。というより、そもそも地域活性化への期待感なしに芸術祭が企画されることなどありうるはずもない。インターネット上では、そのような事例を報告するレポートが多数公開されているが、その一つである日本政策投資銀行のレポート「現代アートと地域活性化」（二〇一〇）では、イギリスの北東部の双子都市・ニューキャッスル＆ゲーツヘッドに彫刻家アントニー・ゴームリーの作品《エンジェル・オブ・ザ・ノース》が設置されたとき、地域は大いに盛り上がりを見せたことが紹介されている。

当地において現代アートは、産業遺産である造船技術や鉄鋼等の材料を活用して制作されたため、作品はそこに存在する都市の歴史や産業等の資源と融け合い、都市のアイデンティティを失うことなく、地域資源に再び光をあてて蘇らせ、２００５年には２００万人の観光客が訪れるほどの新たな魅力を創出したのである。

このように現代アートは、都市の歴史文化や産業など地域資源の全てを包括し、かつ活かしたまま、新たな魅力を生み出すことができる創造性、可能性を持っているといえよう。

クリスチャン・ボルタンスキー＋ジャン・カルマン《最後の教室》

確かに、既存の作品をただ移設するだけでは「歴史文化や産業など地域資源の全てを包括し、かつ活かしたまま、新たな魅力を生み出す」ことは決してできない。現場に滞在、密着し、地域住民との対話やワークショップなどを通じて、地域の問題を反映した作品を作ることができるのは、作家が存命中の現代美術ならではのことである。越後妻有アートトリエンナーレでは、過疎のため廃校となった小中学校の校舎を利用した作品（上の《最後の教室》もその一つである）や、二〇〇四年の新潟県中越地震によって廃屋となった民家を利用した作品が多く見られたが、これなどは「地域アート」の第一人者である北川のキュレーションの成果ともいえるだろう。

もちろん、こうした地域活性化の在り方に対しては否定的な見方も存在する。例えば『地域アート』において、文芸評論家の藤田直哉は地方芸術祭の問題点を以下のように指摘する。

ここで重視されているのは、地元と「融け合う」ことや、産業を活性化させること、都市のアイデンティティを失わせないこと、観光客を呼び込むこと、である。その芸術の中身や「美」についてはほとんど触れられていない。

もっともな指摘である。「地域アート」があくまで地域活性化のための手段であるなら、ここで挙げられている四つの目的を達成できるのであれば、その手段が美術である必然性は全くないからだ。美術としての是非を問題にするのであれば、その「芸術の中身」や「美」（美術評論では、しばしば「質」という言い方がなされる）が問われねばならないことに、異論のある者はいないだろう。

旅行から見たキュレーション

だがここでは趣旨に即して、国際芸術祭の美術としての是非をあくまでキュレーションという観点から考えてみたい。もっぱら鑑賞を目的とした美術、いわゆる「ファインアート」としての「芸術の中身」や「美」（質）がことさら問題視されるようになったのは、本章の冒頭でも触れたホワイトキューブの成立以降のことである。視覚を遮る異物が退けられた空間の中で、作品はひたすら「美」（質）のみを追求するものとして扱われてきた。「ファインアート」の成立は、職業としてのキュレーターの成立と軌を一にするといっていい。それに対して、作品をホワイトキューブの外部に展開する芸術は、一般には「ファインアート」の行き詰まりに対する反発とみなされるし、そのような形で展開される「地域アート」の主たる受容層である観光客も、現代美術のリテラシーに習熟していない存在とみなされる。

常識的には、「美」（質）の強度や観客のリテラシーという点で、「ファインアート」と「地域アート」の間には明確なヒエラルキーが存在すると考えるべきなのだろう。しかし敢《あ》えて、両者の間には相補的な関係が存在するのではないかと考えてみたい。少なくとも、作家の選択や作品の配置などの作業において、両者のキュレーションに大きな差異は認められない。「ファインアート」の歴史の短さは既に説明した通り。一方、長い歴史のある「旅行」や「巡礼」とは異なり、行楽地を巡る「観光」が歴史の浅い概念であることも観光学の常識である。当然のこととして、観光資源としての国際芸術祭や「地域アート」の歴史はさらに浅い。美術作品を鑑賞するという視線の経験は、二〇世紀以降にホワイトキューブという密室と観光地の屋外で並行して発展を遂げ、近年になってあらためて交差するようになった。両者の交差は、例えば冷戦体制終了後の世界各地における国際芸術祭の林立ぶりと、一九九七年のグッゲンハイム美術館のビルバオ分館開館を機に本格化した、大型美術館の分館建設ラッシュなどに見ることができるのではないか。

ところで、旅行に出発する前の事前の計画は何とも楽しいものである。予算や日程に応じて、目的地や移動手段、宿泊先などを決めていく作業の楽しさは、実際の旅行そのものに勝るとも劣らない。国際芸術祭に即して考えるなら、どの作品を見に行くか、どのようなコースを組むかなど（さらにそこには、移動手段や宿泊先という通常の観光要素や地元の料理や酒、芸能などとの組み合わせといったそれぞれの地域特有のオプションが加わることになる）が検討の対象となるわけだが、こうした情報の収集や取捨選択は作家の選択や作品の配置という形で行われる展覧会企画とも共通点が多い。随分と回り道をしたが、実はこのことこそ、本章で旅行を取り上げたもう一つの理由である。綿密な旅行の計画は、それ自体がキュレーションの成果といっていい。「観光」としての旅行を普及・定着させた立役者として、よく言及される一人がトーマス・クックである。クックは一九世紀のヴィクトリア朝のイギリスで活躍した実業家で、当時黎明期《れいめいき》

トーマス・クック社の広告（1902年）

であった鉄道の可能性にいち早く着目し、それまでは貴族など有閑階級の特権であった旅行を中産階級や労働者階級に対しても「解放」したことで知られている。例えば、一八五一年のロンドンでは史上初の万国博覧会が開かれたが、クックはこのイベントに一六万人もの観光客を送り込んだという。いうまでもなく、万博に押し寄せた当時の観光客は、国内外の芸術祭を見に訪れる現代の観光客と同類とみなしうる。

いうなればクックは、「旅行」を「観光」へと進化させたのである。既得権者であった貴族らからは忌み嫌われたものの、起業した会社がその後世界的な規模に成長し、一時期その名が時刻表の代名詞として知れ渡っていたことは、まぎれもなくクックの先見性を物語っている。

そのクックの起こした会社が経営悪化のために二〇一九年に破産を申請した事実に時代の変化を思わずにはいられないが、ある意味では彼もまた、キュレーターの先駆者の一人だったのかもしれない。

「情の時代」その後――あいちトリエンナーレの問題提起

あいちトリエンナーレは、二〇一〇年に始まった日本で最も大規模な国際芸術祭の一つである。美術展以外に演劇祭としての要素も併せ持ち、「揺れる大地」をテーマに掲げた二〇一三年の第二回では東日本大震災を題材とした作品が多数発表され、「虹のキャラヴァンサライ」をテーマに掲げた二〇一六年の第三回では芸術人類学の観点から選ばれた作品が多数発表された。日本の都市圏の芸術祭には欧米の後追いの傾向が強いことは既に指摘した通りだが、その中にあってあいちトリエンナーレは、演劇やパフォーマンスをプログラムに組み込むなど一定の独自色を持つといっていい。

二〇一九年に第四回を迎えたあいちトリエンナーレだが、その中の一企画として開催された「表現の不自由展・その後」展が大きな社会問題となったことは周知の通りである。あいちトリエンナーレ終了後も同展をめぐる混乱は続き、本章を執筆中の現在も完全には収束していない状態だが、念のため騒動の最低限の概要を記しておこう。

「表現の不自由展・その後」展は、二〇一五年に東京のギャラリーで開催された「表現の不自由展」を前身とする。二〇一七年に、第四回あいちトリエンナーレの芸術監督に選出された津田大介は、自らの専門であるジャーナリズムの立場からこの展覧会を芸術祭のプログラムの中に組み込むことを発案し、同展実行委員会もこれを了承、愛知芸術文化センター内の愛知県美術館ギャラリーの一室を会場に開催されることになった。

母体となった「表現の不自由展」は、原発、憲法第九条、「慰安婦」問題、天皇制、政権批判など、タブー視されたテーマのために公共施設での展示が不許可となった作品をその理由とともに紹介する展示だったが、「その後」展では二〇一五年以降に展示不許可となった作品が新たに加えられた。参加作家は計一六組。なかでも、昭和天皇を題材にコラージュした大浦信行の《遠近を抱えて》(四点組)と慰安婦をテーマとしたキム・ソギョン+キム・ウンソンの《平和の少女像》には一部の観客の強い反発が事前に予想されたため、展示にあたっては、奥まった会場の入り口を布で仕切り、また写真や動画のSNS投稿を禁止するなどのネット炎上対策が行われた。

しかし、会期二日目の二〇一九年八月二日、同展を視察した河村たかし名古屋市長が愛知県に展示の中止を申し入れ、同展の開催を決断した津田監督とそれを認めた大村秀章知事を強く批判したのを機に、トリエンナーレ事務局には「電凸」と呼ばれる匿名の抗議や嫌がらせが殺到、さらには脅迫ファクスまで届くなど（送信者は後に逮捕）、事態は事前対策では到底対応できない水準にまで悪化し、安全面への危惧から展示はわずか三日間で中止に追い込まれた。その後、展示が再開されたのは閉幕六日前の一〇月八日のことだった。また九月二六日には、「不適当な申請手続き」を理由に文化庁が「あいちトリエンナーレ」の補助金を全額不交付とする方針を発表するなど（後に減額の上交付される方針へと変更される）、事件は異例の経過を辿ることになった。

愛知県が設置した「あいちトリエンナーレのあり方検討委員会」は、会期終了後の一二月一八日に多くの事例を挙げて同展のキュレーションが不適切だったとする最終報告書をまとめたが、これに対して津田は、この報告は芸術監督に責任を負わせることを想定した結論ありきのものではないかと反論した。他方、実行委員会のメンバーは一一月に『あいちトリエンナーレ「展示中止」事件』を出版し、実行委員会と意思の疎通を欠いていた津田の対応を批判した。大村知事と河村市長の政争という一面もあって、その後も事態は混乱した状態が続いている。

この騒動に対する私見は単純明快である。「表現の不自由展・その後」展の展示は中止されるべきではなかったし（会期終了直前の数日間、かなり限定された形ではあれ再開されたことは、留保付きとはいえ喜ばしい）、批判も含めて様々な意見があるのは当然のことなのだから、主催者がなすべきだったのは、批判に対して過度に萎縮することなく、「電凸」のような嫌がらせ行為には警察による警護の要請などの対応を取り、展示と作家を守ることであったのではないか、ということだ。国内外の多くの団体が公開中止を批判した中で、美術評論家連盟は展示中止の決定、及び補助金不交付の決定の際に相次いでその決定を強く批判する声明を発表した。一会員として私もその声明には全面的に同意である。

そもそもこの騒動には強い既視感があった。「表現の不自由展・その後」展にも出品されていた大浦信行の《遠近を抱えて》は以前の富山県立近代美術館での展示も訴訟の対象となっているし、文学でいえば深沢七郎の『風流夢譚《ふうりゅうむたん》』に端を発する嶋中事件のような前例がある(批判の中には同展を「日本へのヘイト」だとみなすものが少なくなかったが、これは前提からして成立していない。というのも、本来ヘイトとは社会のマイノリティを標的とした差別行為であり、日本という独立国家の中にあって日本及び日本人がヘイトの対象となることなど論理的にありえないからだ。またその後同展が巡回した台湾では、同種の問題は全く報告されていない)。今回の騒動も、規模はともかくとして、問題の根底はそれらの過去の事例と全く同じであり、インターネットが発達しSNSが普及した現在でも、日本の社会に潜在する「表現の不自由」が何も変わっていないことが可視化されたものといえる。とはいえ、ここでは、本章の主題である「地域」のキュレーションという観点から、あいちトリエンナーレについて少し考えてみて、最後にこの問題へと戻ることにしたい。

「地域」のキュレーションから見たあいちトリエンナーレ

あいちトリエンナーレは現時点までに四回開催されている（二〇二二年開催予定の次回は、「国際芸術祭『あいち2022』」と改称して行われることが発表されている）。既に述べたように第一回は建畠哲を芸術監督に迎えて二〇一〇年に開催されたが、これは神田真秋《まさあき》知事（当時）が二〇〇七年の三選目に掲げた国際芸術祭の開催という選挙公約に沿う形で実現されたものだった。神田は愛知万博の開催の是非が最大の争点だった一九九九年の知事選で、反対派の候補を破って初当選し、二〇〇五年の二期目途中に知事として万博の開幕を迎えたキャリアの持ち主である。「万博の時代は終わった」といわれる中、愛知万博は当初の目標であった一五〇〇万人を大きく上回る約二二〇〇万人の観客を動員した。国際芸術祭の開催という神田の選挙公約が、このときの成功体験に由来していたことは間違いない。

振り返れば、そもそも愛知万博自体がオリンピックの「代用品」であった。一九七七年にオリンピック開催の意向を表明した名古屋市は一九八八年夏季大会の誘致に立候補するが、一九八一年にバーデンバーデンで開催されたIOC（国際オリンピック委員会）総会でソウルに惨敗を喫する。直前まで本命視されていただけに、この大敗は当初国内では予想外の結果として受け止められたが、実はIOCには地元の開催ムードが大して盛り上がっていないことを見透かされていた。結局、愛知県と名古屋市は再挑戦を断念して万博誘致へと方向転換し、一九九七年に開催権を獲得する。その誘致構想の中核にあったのは、「オリンピック誘致の失敗など何をやってもダメという流れ」の転換、「中部圏の中核である大愛知にふさわしい国際的イベント」という発想であったという（「中日新聞」一九八八年一〇月一二日）。

愛知万博は通称を「愛・地球博」といい、「自然の叡智《えいち》」というエコロジー志向のテーマを掲げた課題解決型の博覧会であった。これはBIE（博覧会国際事務局）の方針に沿うものであったが、少なくとも誘致の動機は、東京オリンピックや大阪万博と同様のトップダウン型の開発至上主義そのものであった。とすれば、万博の延長線上で提唱されたあいちトリエンナーレも、同様の青写真の下に構想されたものと考えるのが自然だろう。

もちろん、二一世紀の現在では、そうした開発至上主義の発想そのものが時代遅れなのは自明である。その意味では、過去四回のあいちトリエンナーレは、旧態依然としたトップダウン型の構図の中で、いかにして独自に地域振興を図るかを模索する試みだったともいえるかもしれない。第二回の「揺れる大地」や第三回の「虹のキャラヴァンサライ」もその一環だったわけだが、それらの先例を受けて、第四回の芸術監督に抜擢された津田が掲げたテーマが「情の時代」であった。その意図について、テーマを発表する際に津田は以下のように説明している。

『漢字源 改訂第五版』によると、「情」という漢字には「感覚によっておこる心の動き(→感情、情動)」、「本当のこと・本当の姿(→実情、情報)」、「人情・思いやり(→なさけ)」という、主に3種類の意味がある。

2015年、内戦が続くシリアから大量に押し寄せる難民申請者を「感情」で拒否する動きが大きくなっていた欧州各国の世論を変えたのは、3歳のシリア難民の少年が溺死した姿を捉えた1枚の写真だった。この写真をきっかけに、ドイツとフランスは連名で難民受け入れの新たな仕組みをEUに提案し、続いてイギリスもそれまでの政策を転換して難民の受け入れを表明した。欧州を埋め尽くしていた「情報」によって作られた不安を塗り替えたのは、人間がもつ「情」の中でもっとも早く表出するプリミティブな「連帯」や「他者への想像力」ではなかったか。

世界を対立軸で解釈することはたやすい。「わからない」ことは人を不安にさせる。理解できないことに人は耐えることができない。苦難が忍耐を、忍耐が練達を、練達が希望をもたらすことを知りつつ、その手段を取ることをハナから諦め、本来はグレーであるものをシロ・クロはっきり決めつけて処理した方が合理的だと考える人々が増えた。（中略）しかし、それでも人間は動物ではない。人間は、たとえ守りたい伝統や理念が異なっても、合理的な選択ではなくても、困難に直面している他者に対し、とっさに手を差しのべ、連帯することができる生き物である。いま人類が直面している問題の原因は「情」にあるが、それを打ち破ることができるのもまた「情」なのだ。

われわれは、情によって情を飼いならす（tame する）技（ars）を身につけなければならない。それこそが本来の「アート」ではなかったか。アートはこの世界に存在するありとあらゆるものを取り上げることができる。数が大きいものが勝つ合理的意思決定の世界かられわれわれを解放し、グレーでモザイク様の社会を、シロとクロに単純化する思考を嫌う。

（あいちトリエンナーレ公式サイトより）

冒頭で説明した通り、本書は展覧会企画と情報検索という二つのキュレーションを同じ俎上《そじょう》で論じることができないかという問題意識を出発点としている。その意味で、一時期ＩＴジャーナリストを自認していた津田が国際芸術祭の芸術監督を務めるという出来事は願ったりかなったりであったし、また「情」という言葉の三つの意味に着目した「情の時代」というテーマもうってつけであるように思われた。問題は、「情の時代」をいかにして具体化するかである。

いくつか挙げられていたそのための方法のうち、特に強く印象に残ったのがジェンダー平等の原則の徹底である。端的にいえば、これは参加作家の性別を男女同数で揃えるということだ。もちろん女性の創造性を強調する議論は今までに美術の分野でも少なからず存在したが、数を揃えるという計量的手法でのアプローチは全く予想していなかっただけに驚いた。津田のこの発想は行動経済学者イリス・ボネットの『WORK DESIGN』に由来するとのことで、「ジェンダー平等のデザイン」を提唱する同書では、医師や弁護士、オーケストラの楽団員などの様々な職業で、ジェンダー平等に向けて動いた結果、労働生産性が向上した事例が多数報告されている。労働生産性に基づく芸術祭の評価には違和感を覚えるが、第四回の観客動員が前回比で大幅に向上したことは事実である。

また、津田の要請で《ラストワーズ/タイプトレース》(インターネットによって集計された、一〇〇〇件ほどの一〇分以内で書かれた遺言)を出展した情報学者のドミニク・チェンは、自分の専門的観点からいっても「情の時代」というテーマ設定はとてもしっくりくるもので、見知らぬ人々の遺言の執筆プロセスに感動することもしばしばだったという。このように、芸術祭の現場では様々な興味深い試みも行われていたにもかかわらず、残念なことに現在それらが回顧されることはほとんどない。いうまでもなく、「表現の不自由展・その後」展の騒動に、すべてが飲み込まれてしまったからである。

あいちトリエンナーレのキュレーションをまた別の角度から考える上で参考になるのが、騒動が表面化した後に愛知県が立ち上げた検討委員会が二〇一九年一二月一八日付でまとめた最終報告書（座長：山梨俊夫）である。この報告書は、芸術祭全体を概ね成功と評価し、「表現の不自由展・その後」展の企画意図や内容も芸術祭の趣旨に沿った妥当なものであったとしつつも、展示そのものに対しては「鑑賞者に対して主催者の趣旨を効果的、適切に伝えるものだったとは言い難く、キュレーションと、来訪者に対するコミュニケーション上の多くの問題点があった」と結論付けている。作品選定への疑問、作品の制作の背景や内容の説明不足（政治性を認めた上での偏りのない説明）、展示の場所・方法が不適切であったこと、全体の見せ方と来訪者へのコミュニケーションの不備、ＳＮＳ投稿禁止の不徹底、シンポジウムなどの事前のエデュケーションプログラムの不備、リスク回避のためのガバナンスの不備等々、報告書が指摘していた「表現の不自由展・その後」展の展示の問題は多岐にわたるが、なかでもキュレーションをテーマとする本書にとっては、(一) 事務局と実行委員会の意思の疎通の不足、(二) キュレーターチームが展示に関与しなかった事前準備の不足、(三) 芸術監督の権限の不備という三点についての指摘は看過できない。

既に触れたように、あいちトリエンナーレは芸術監督が全権を掌握するドクメンタ型を志向する国際芸術展である。ただ今回は芸術監督に抜擢された津田が美術の専門家ではないことから、その下に企画アドバイザー(後に辞任)、チーフ・キュレーター、キュレーター(国際現代美術展部門三名、映像プログラム、パフォーミングアーツ、音楽プログラム、ラーニング部門各一名)、コンサルタント、公式デザイナーが配置され、芸術監督をサポートする事務局の体制が構築されていた。計七九組の参加作家は芸術監督とキュレーターの合議などを通じてリストアップされ、最終的には芸術監督が責任を負う形で選出され、実際の展示は領域や会場に応じて各キュレーターが分担する形で事業が進められた。しかし「表現の不自由展・その後」展にはこの全体の図式が当てはまらない。というのも、同展は前身の「表現の不自由展」を企画した実行委員会に業務委託する形で開催されていたからである。事実上の丸投げといってよい。

津田をはじめとする事務局と「表現の不自由展」実行委員会の間で、準備期間中や騒動が表面化した後でどのようなやり取りがあったのかはわからないが、実行委員会側が出版した『あいちトリエンナーレ「展示中止」事件』には津田への批判的言及が予想以上に多く、一連の騒動を通じて、実行委員会側が事務局の対応に強い不信感を募らせていたことがうかがわれる。もちろん事務局側にも言い分はあるだろうが、結果的に両者の齟齬《そご》は（一）（二）という形で顕在化してしまった。この問題が何より深刻なのは、展覧会の責任の所在が極めて曖昧な点であり、騒動が表面化した後は事務局の対応は迷走を繰り返し、結果的に腰砕けになってしまった。これは（三）が大きな要因であろう。芸術監督が多大な権限を有する代わりに一切の責任を負うというドクメンタ型の芸術祭運営は、事実上機能していなかったといえるだろう。

あいちトリエンナーレのキュレーターチームの一人であった鷲田《わしだ》めるろは、「表現の不自由展・その後」展の問題として、《平和の少女像》が単体で展示されていたことにより、作品の文脈が失われたこと、津田がジャーナリストであると同時にアクティビストでもあり、この展示もまた一種のアクティビズムとして受け止められてしまったこと、議論の場となるはずの展示がSNS投稿禁止の措置などによって旧態依然とした美の殿堂的な展示として受け止められてしまったことなどを指摘している。当事者とも部外者ともみなしうる難しい立場からの発言だが、いずれもキュレーションの問題に対する重要な示唆を孕《はら》んでいる。

また検討委員会のメンバーの一人であった文化政策研究者の太下義之《おおしたよしゆき》は、ネット上に長大な論考を発表し、「表現の不自由展・その後」展についての様々な問題点を指摘している（「検証：あいちトリエンナーレ」タイムアウト東京）。太下はこの論考で多くの論点を整理しつつ、本書の冒頭でも引用したクレア・ビショップの「幅広い鑑賞者の層にとって社会的意義のある芸術を、協働して生産＝創造することを確固として望み、展覧会そのものを包括的な議論とみなす人々」というキュレーターの定義を引いて、先の最終報告書の（一）（二）を問題視して同展にはキュレーターが不在であったとみなしている。私もその見解に賛成である。業務委託によって開催された「表現の不自由展・その後」展は、そもそもキュレーター不在であった。適切に情報を収集し、取捨選択して展覧会を管理するキュレーターが存在しなければ、展覧会が収拾不可能な事態に陥るのは自明の理であった。二一世紀の現在も日本社会に隠然と存在する「表現の不自由」を炙《あぶ》り出した功の部分と、芸術祭にさしたる関心がなく、件の展示を見てさえいないアノニマスな群衆の攻撃性を刺激し、公権力による展示への介入や（その後撤回されたとはいえ）一度正式な手続きを経て決定された補助金の不交付の決定などの悪《あ》しき前例を残してしまった罪の部分のどちらを重く見るべきかと問われれば、残念ながら後者であると回答せざるを得ない。

開幕を控えた二〇一九年六月中旬、私は津田にインタビューを行ったが、その際彼は「あいちトリエンナーレは名古屋開催で中日新聞も関わっているローカルなイベントだから、中央のメディアに取り上げてもらうための仕掛けを考えている」という趣旨のことを語っていた。津田もまたトップダウン型の開発至上主義から脱することの重要性を自覚していたのだろうが、今にして思えば「表現の不自由展・その後」展もその仕掛けの一部だったのだろう。

ジェンダー平等の原則を徹底した結果、行動経済学的な成果を上げた第四回あいちトリエンナーレだが、「表現の不自由展・その後」展においてはキュレーター不在に伴う大きな混乱が生じてしまった。津田が芸術監督を務めると知って二つのキュレーションの統合を期待した私が芸術祭の現場で目の当たりにしたのは、実のところ二つのキュレーションの分裂だったのかもしれない。

第四章 「境界」のキュレーション

定義の拡張――デュシャンの《泉》に見る美術の「外部」

マルセル・デュシャンの《泉》（一九一七）は二〇世紀美術史上最大のスキャンダルであり、問題作である。既成の便器に乱雑なサインを書き加えただけのこの「作品」は、同年にニューヨークで開催されたアンデパンダン展に出品予定であったが、結局出品されることはなかった。現在では「作品」の実物も失われ、写真だけが残るにすぎない。無資格・無審査を謳い、誰が何を出品したとしても歓迎だったはずのアンデパンダン展になぜ出品されなかったのか。その理由は明らかではないが、主催者から「これは美術ではない」と出品を拒絶されたことは容易に想像がつく。今から一〇〇年以上も前の話なのだから、それはいたって常識的な対応というものだろう。

だが「これは美術ではない」という拒絶は、必然的に「美術」と「非美術」の境界線がどこに引かれるのかという新たな問いを生むことになる。もちろん、そんな問いに確信を持って回答できる者など、当時も今も誰一人としているわけがない。そして現在、どの美術の通史にも《泉》は必ず重要作品として紹介されている。「美術ではない」はずの《泉》は、一〇〇年後の現在では二〇世紀を代表する美術作品の一つとなったのである。

デュシャンが《泉》という作品を通じて成し遂げた美術の定義の拡張は、実はキュレーションの醍醐味《だいごみ》の一つでもある。最終的な成否の判断は歴史に委ねるしかないにせよ、新たな視点の導入や様々な仕掛けを通じて、従来の常識では美術とみなされていなかったものを美術史へと編入し、歴史を更新することの達成感は何ものにも代えがたいに違いない。第二章で触れた先史美術と現代美術の類似への注目もその一つといえるが、本章では定義の拡張の際に必然的に問題視される「境界」にこだわってみたい。その観点から真っ先に挙げられる動向が「アウトサイダー・アート」であろう。

「アウトサイダー・アート」と「アール・ブリュット」

「アウトサイダー・アート」という言葉は、一般にはセルフトート（独学）の作家や精神障碍者、さらには各地の先住民によって制作された作品を指すことが多い。彼らが「アウトサイダー」と呼ばれるのは、美術館やギャラリー、美術学校などからなる美術の制度の外部に位置する存在だからである。彼らの創作の多くは社会的に発表されることもなく、密室の奥に埋もれ、人知れず消えていく。それらの中から、美術史への編入に値する作品を発掘し、また鑑賞に堪えるものとして展示するためには、当然のことながら入念な情報の検索と取捨選択が不可欠である。

「アウトサイダー・アート」と呼びうる創作の範囲は広いが、その中でも特に観客に強い印象を残すのが、精神障碍者の観念的な表現や強烈な想念によって制作された「作品」だろう。強い精神のエネルギーの産物が観《み》る者を圧倒する力を秘めていることは疑う余地のない事実である。

ところで、「アウトサイダー・アート」という言葉の歴史は意外と浅く、イギリスの批評家ロジャー・カーディナルが一九七二年に出版した著書のタイトルが初出とされている。しかもこの言葉はカーディナル自身の造語ではなく、「アール・ブリュット」というフランス語の翻訳として考案されたものだというから、この言葉が成立するプロセスにおいて紆余曲折《うよきょくせつ》があったことがわかる。

日本語では「生の芸術」と訳されることの多い「アール・ブリュット」が、フランスの画家ジャン・デュビュッフェの造語であることはよく知られている。二〇世紀中盤の抽象絵画の動向である「アンフォルメル」の代表的な作家の一人であったデュビュッフェは、精神障碍者や先住民、さらに囚人や幻視者などの創作に強い関心を寄せていた。美術の制度の外部に位置する彼らの創作が持つ強いインパクトに魅了された彼は、様々な伝《つて》を頼ってその創作を収集し、一九四八年にはアール・ブリュット協会を設立、やがて協会は資金不足のため解散するが、一九七六年にはスイスのローザンヌに総計五〇〇〇点超のコレクションを所蔵する専用施設が開館する。家業であったワイン商の仕事の傍ら独学で美術を学んだデュビュッフェは常々既存の美術の制度に批判的であったが、皮肉なことに彼が生涯を通じて探求した「アール・ブリュット」は、彼の存命中に美術の制度によって認められたのである。

デュビュッフェは自らの造語である「アール・ブリュット」に強いこだわりと愛着を持っていた。加えて、その造語の定義はドイツの精神科医ハンス・プリンツホルンの『精神病者の芸術性』という専門書に依拠して決定されていた。そのためデュビュッフェはその安易な転用や定義の拡張に目を光らせ、自分が価値を認めたわけでもない有象無象の稚拙な創作が「アール・ブリュット」を名乗ることを決して許さなかった。ロジャー・カーディナルが「アール・ブリュット」を英語圏に紹介するにあたり、新たに「アウトサイダー・アート」を造語しなければならなかった理由もそこにある。

初めて「アウトサイダー・アート」が提唱されてからほぼ半世紀経過した現在、「アール・ブリュット」と「アウトサイダー・アート」は言及や参照の度合いにおいて拮抗《きっこう》した状態にあるように見える（他に、言及・参照される頻度はやや乏しいが、同じような意味合いで用いられる言葉として「エイブル・アート」が挙げられる)。英語である「アウトサイダー・アート」の方が国際的により多くの人に対して訴求効果を持つ上に、「アウトサイダー」という言葉自体も強い意味を持つ半面、相対的に歴史が長く、デュビュッフェの生涯を通じての活動の上に成り立っていて、また近年ではフランスの「国策」として国外にも広く紹介されてきた「アール・ブリュット」にも根強い支持がある。どちらを選択するのかはなかなか悩ましい問題だが、本章では「アウトサイダー・アート」を選択することにした。その最大の理由は、本章の冒頭で触れた「美術の定義の拡張」にある。キュレーションの醍醐味の一つが「美術の定義の拡張」にある以上、それは必然的に美術の「内部」と「外部」についての問いを含むことになるため、「アウトサイダー・アート」の方がより好適だと考えられるからだ。

ところで、「アウトサイダー・アート」という言葉は、必然的にその対義語としての「インサイダー・アート」とは何かを問うことになる。アウトサイダーにせよインサイダーにせよ、「アート」が人間の作り出した成果物であることに変わりはない。両者の違いは、創作主体としての人間が制度の内側にいるか＝作家と認められているかどうか、という点にある。医師や弁護士のような国家資格が必要とされない以上、「作家」を名乗ることは誰であっても可能だが、実際のところ社会的に「作家」として認められる者は限られている。ある者が「作家」であるか否かは、「作品」そのものの出来不出来ばかりでなく、正規の美術教育を受けているか、「作品」が美術館やギャラリーで展示されているか、オークションなどで売買の対象となっているか、何らかの美術のコミュニティに所属しているか等々、諸々《もろもろ》の制度的与件によって判断されるのだ。

換言すれば、そうした制度の内部にいる者がインサイダー、外部にいる者がアウトサイダーということになる。もちろん、両者の区分は不変ではなく、時代や社会状況に応じて様々に変化してきた。本書の趣旨に引き付けていえば、独自の視点によって既存の区分を書き換えて、従来は美術とみなされていなかったアウトサイダーの表現に新たな価値を与えることも、キュレーションの醍醐味ということになる。

ヘンリー・ダーガーとは誰か

「アウトサイダー・アート」の系譜の中でも、最も強いインパクトを残す一人がヘンリー・ダーガーであることに異論を唱える人はまずいまい。ダーガーは一八九二年シカゴ生まれ。四歳になる直前に母と死別、八歳のときに父とも別れて児童施設に入所するも一七歳のときに病院の清掃人の仕事を得て、半世紀以上低所得の労働者として過ごした。七一歳で退職してからは賃貸アパートの三階にあった自室で余生を過ごしていたものの、八〇歳になって階段の上り下りができないほど衰弱したため老人施設に移り、間もなく息を引き取った。冒険小説を愛好し、毎日の教会通いを欠かさない敬虔《けいけん》なカトリック教徒であった半面、人付き合いは苦手だったらしく、生前の写真はわずか三枚しか残されていない。

孤独な生涯を過ごした老人の死。これだけならばごくありふれたエピソードであり、類例は他にいくらもあるだろう。だが晩年になってダーガーが退去し無人となったアパートの一室から、奇妙な「作品」が発見されたことで状況は一変し、死後の彼は唯一無二の存在となる。長年、本人以外誰一人として足を踏み入れたことのなかったダーガーの居室は、退去時には十字架や壊れたおもちゃ、ぼろぼろの靴、新聞や雑誌の山などトラック二台分ものごみが集積していたという。だがそれらのごみに紛れていた旅行鞄《りよこうかばん》の中には、奇妙な「作品」が入っていた。《非現実の王国で》と題されたそれらの「作品」は、「ヴィヴィアン・ガールズ」と呼ばれる七人の戦闘少女や子供奴隷が登場する全一五巻の長大な物語と、その図解とも呼ぶべき全三巻の画集からなっていた。後年の調査によると、物語が最初に執筆され、次いで図解が描かれたらしい。略歴からもわかるように、ダーガーは正規の美術教育を受けた経験が一切なく、数々の少女や少年の姿は、すべて自己流で創作されたものであった。密室で約六〇年にもわた

ヘンリー・ダーガー《非現実の王国で》より。部分（上）と全体（下）

って孤独に制作されてきたこの「作品」には、まさしく「畢生《ひっせい》の大作」という言葉がふさわしい。

ダーガーの絵は、基本的には粗悪な紙の両面に横長の構図で描かれている。画面は概して大型で、三メートルを超える長大なものもある。輪郭線が弱々しい半面、画面はカラフルで明るく、それによって幾分か残虐性や異常性が中和されている印象を受ける。「ヴィヴィアン・ガールズ」のイメージは新聞や雑誌の写真からトレースして描かれており、また股間にはペニスがついているのが特徴である。もっとも、彼女らは物語世界の中ではあくまで女性であって決して両性具有者ではない。精神科医の斎藤環《たまき》の言葉を借りるなら、彼女らは「ファリック・ガール」（ペニスを持つ少女）と呼ぶべき存在なのである。

ダーガーは四歳になる直前に母と死別し、またその直後に養子に出された妹とは生涯再会することはなかった（後年本人は、母の記憶も妹の記憶もないと述懐している）。その後も女性と交際することのなかった彼は、恐らく生涯を通じて童貞であり、男女の性差についての最低限の知識さえ持ち合わせていなかったはずである。だが彼の描く「ファリック・ガール」は、単なる性知識の欠落の産物ではない。彼女らの無防備さ、無邪気さ、幼さ、純粋さ。それは恐らく、幼少期に相次いで家族と別れた喪失感に起因するアイデンティティの欠損を埋め合わせる存在でもあった。この比類ない強烈なオブセッションがあくまでも密室での孤独な創作にとどまり、彼の生前には決して室外へと拡散されることがなかったのは、彼が孤独であった上に敬虔なカトリック教徒でもあり、「恥」の露出を非常に恐れていたことが大きな原因であったものと推測されている。

それにしても、孤独な男の想念が生み出した特異な表現が、本人没後から半世紀近く経った現在、世界各地で絶賛されているのはほとんど奇跡のような出来事だ。その奇跡が現実のものとなったのは、ダーガーが住んでいたアパートのオーナーであったネイサン・ラーナーがダーガーの退去後に発見した彼の「作品」に価値を見出したからである。シカゴのニュー・バウハウスで写真を学び、工業デザイナーとしても活躍したラーナーがアパートのオーナーであった偶然によって、ダーガーの「作品」は世に出るきっかけを得た。アパートのオーナーが別人であったなら、ダーガーの想念で満たされた旅行鞄は他のごみと一緒に人知れず廃棄されていたに違いない。

ダーガーの退去後は部屋を片付けて拡張工事を行う予定だったそうだが、ラーナーはその予定を取りやめて部屋を原状のままとどめ、多くの人にダーガーの「作品」を見てもらおうと働きかけたという。ダーガーの作品に価値を見出し、それを後世に伝えようとしたラーナーの行動は、結果的に美術の定義の拡張にも一役買うことになった。その意味では、ラーナーはダーガーの「作品」の最初のキュレーターだったのかもしれない。

生前のダーガーが暮らしていたアパートは、結局ラーナー没後の二〇〇〇年に取り壊されてしまったため、残念ながら現存していない。以前からダーガーに強い関心を寄せていた写真家の北島敬三は一九九九年秋、取り壊し寸前のダーガーのアパートを訪れ、その様子を撮影していたのだが、二〇一五年の春に新宿のギャラリーでその写真を紹介する小さな展覧会「ヘンリ

アパートの取り壊し前に撮影されたヘンリー・ダーガーの部屋

ー・ダーガーの部屋」が開催された。幸い私はその展覧会を見る機会があったので、手短に様子を紹介しておこう。

無人の部屋は、ダーガーの死から二六年経った撮影当時も、生前の彼が起居していた頃の様子をそのままとどめているように見えた。使い込まれたタイプライター、テーブルに散乱する画材、コラージュの素材と思《おぼ》しき広告や写真の切り抜きの山、仮綴《かりと》じの本の束など迫真の画像は、いずれもダーガーが幻視した光景のすさまじさを連想させた。彼の密室での生活が、すべて物語の制作を中心に回っていたことがわかる。他方、壁際に設置されている多くのマリア像やキリスト像、あるいは壁に張られた「NO SMOKING」の注意書きからは、毎日必ず教会に出かける敬虔なカトリック教徒だったという生真面目な人柄が察せられた。狭い室内は、窓から差し込む自然光と、中央部の天井からぶら下がる電球の人工光とが混然一体となっていて、その光の状態を再現するために、北島は二種類のカメラを使い分けたという。展覧会に出品されていた写真は一〇枚だけで、加えて室内の照明を暗くした会場構成が印象的だった。北島の姿勢は一貫して抑制的であり、それがまたダーガーの想念を一層際立たせる効果を上げていたように思う。

二〇一九年の暮れ、東京都内で「アフター・ザ・バウハウス：ニュー・バウハウスとブラック・マウンテン・カレッジ」と題する小規模な講演会が開催された。そのゲストの一人としてネイサン・ラーナーの夫人であったキヨコ・ラーナーが登壇することを知った私は、興味をひかれて足を運んでみた。バウハウス一〇〇周年の節目に合わせて企画された講演会の性格もあって、対話形式だったキヨコ夫人の講演の話題はもっぱら亡夫のニュー・バウハウスでの活動に関するものであったが、質疑応答の際に思い切ってダーガーについて聞いてみた。私の質問に対し、彼女は亡夫がいかにダーガーを高く評価し、一九九七年に亡くなる直前まで、ダーガーの居室を当時のままの状態で残すことにどれほど腐心していたかを熱心に語ってくれた。現在のダーガーの高い評価は、ラーナーの目の確かさを物語るものといえるだろう。

なおダーガーは、老人施設に移った後にラーナーからアパートに残してきた創作物をどうするかを問われて、「捨ててくれ」と言い残したという。このエピソードは、捨てることが本意であったかどうかはともかく、少なくともダーガーが自分の創作物を対外的に公表する「作品」とは全く考えていなかったことを物語る。これは、ダーガーが紛れもないアートのアウトサイダーであったことを意味するものである。結果的にラーナーに遺言を裏切られ、自分の「作品」が美術として文脈化されたことを、果たして冥界のダーガーはどう思っているのだろうか。

「パラレル・ヴィジョン」——キュレーターは発見者である

ダーガーの「作品」が人々を圧倒するものであることは間違いない。何しろ《非現実の王国で》は、約六〇年もの想念が凝縮された「畢生の大作」なのである。インパクトが強くないわけがない。とはいえ、展覧会でその魅力を最大限観客に伝えるには、様々な仕掛けや工夫を施す必要がある。

ダーガーの名を広く知らしめるきっかけとなったことで知られるのが、「パラレル・ヴィジョン——20世紀美術とアウトサイダー・アート」展である。同展は四〇人のプロの美術家＝インサイダー（その中には、パウル・クレー、マックス・エルンスト、ゲオルグ・バゼリッツ、ジョナサン・ボロフスキー、クリスチャン・ボルタンスキーといった近現代美術の大家も含まれていた）と三四人のアウトサイダーたちの作品を同じ会場で展示するというもので、一九九二年にロサンゼルスのカウンティ美術館で開催されたのを皮切りに、マドリード、バーゼルを経て翌年の秋に東京の世田谷美術館へと巡回した。

「アウトサイダー・アート」の展示自体はこれ以前にも先例があったが、「強迫的幻視者の作品と主流を成してきた芸術家の作品とのつながりを総合的に探究しようとする、最初の展覧会」（同展カタログ、モーリス・タックマンによる序文）であったことは事実といってよい。三四人のアウトサイダーはもちろん正規の美術家とはみなされない者たちで、その中には、前衛的な文学者であったアントナン・アルトー、映画「シュヴァルの理想宮」で奇天烈な建築の完成に心血を注いだ生涯が描かれたフェルディナン・シュヴァル、神話世界に耽溺したフリードリヒ・シュレーダー＝ゾンネンシュターンなどが含まれていた。

同展のキュレーションの最大の特徴は、インサイダーとアウトサイダーの作品はすべて芸術として同等であるという視点の徹底であろう。これは、第二章で触れた現代美術と先史美術の展示の対称性と同じ発想に依拠している。それゆえ、展示は「いずれも強力な視覚的言説であり、美的に挑発し、激しく引き込んでいく」（前掲書）ことを意図した会場造作がなされていたし、カタログの図版でも両者を対等に扱う意図が徹底されていた。また前述の三人が典型だが、この展覧会に含まれているアウトサイダーは全く無名の存在ではなく、二〇世紀の美術界でその存在を知られていた人間ばかりであることも触れておかねばならない。とにもかくにも二〇世紀美術に何らかの形で参画した経験があるという事実が、この展覧会への参加要件だったのである。他方、生前精神を病んでいたことがしばしば強調されるゴッホはあくまでインサイダーとみなされ、この展覧会からは除外されることになった。

また企画者のモーリス・タックマンはロジャー・カーディナルによる定義などを参照した上で、「アール・ブリュット」の「反文化的」な側面よりは「非文化的」な側面に着目し、また「疎外」のみがアウトサイダーの条件ではないと述べている点にも注目しておきたい。この発言は、彼が明確な意図をもって「アウトサイダー・アート」という言葉を選択したことを物語る。どの言葉を選択するのかによって展覧会のフレームや作家同士の関係性が大きく変わってしまうことは、何も「アウトサイダー・アート」と「アール・ブリュット」だけに限った話ではない。その意味では、言葉の選択もまたキュレーションの大事な要素の一つなのである。

同展において、三四人のアウトサイダーの一人に含まれていたのが他ならぬダーガーであった。もはや三〇年近く経過しているので記憶も曖昧だが、世田谷美術館の展示では、インサイダーのアートはホワイトキューブの白い壁にそのまま展示されていたのに対し、アウトサイダーの作品は着色された壁に展示されていた。壁の色を違《たが》えることによって両者の違いを強調するための工夫だろう。とはいえダーガーの作品の魅力を引き出すには、やはりその生涯をドラマティックに伝える必要がある。でなければ、美術教育を受けていない孤独な男が、なぜあれほど強烈な「作品」を生み出すことができたのかを観客に伝えるのは難しい。またダーガーの「作品」の大きな特徴として、大きな紙の表裏両面に絵が描かれていることが挙げられる。そのため、「作品」は額装して壁に掛けるのではなく、展示室内の中央にガラスケースなどを設置し、透明のブックスタンドなどを使って立てて、表裏両面を見せる工夫が必要である。

世の中のほとんどの人間は、ダーガーのような孤独な生涯を送ることも、強烈な想念に溢れた「作品」を作り出すこともないだろう。だがダーガーの「作品」に接して、そこから何かを感じ取り、共感を寄せることは誰であっても可能である。そこには「価値を生み出す生き方」のヒントが潜んでいるに違いない。本章のテーマは「境界」のキュレーションだが、この場合のキュレーションの役割は、ごく限られた者にのみ可能な想像を、誰にでも共感できるものとして媒介することなのかもしれない。

「インサイダー・アート」とその外部

一方、アートの制度の内側にいるインサイダーにも、病を患い、病との闘いを通じて創作活動を展開している者もいる。ヴィンセント・ヴァン・ゴッホやウィレム・デ・クーニングなどの事例が有名だが、ここでは草間彌生《やよい》を取り上げておこう。

草間彌生は一九二九年生まれ。九〇歳を超えた今も現役作家として創作活動を展開する彼女が、少女時代から現在に至るまで精神の病と闘い続けていることは有名だ。制作にあたって、彼女は「無限の網」や「斑点」「ファルス」といった少数のモチーフを執拗《しつよう》に反復し続けているが、それらのモチーフはいずれも長年にわたって彼女の内面を侵食している幻覚を視覚化したものだ。彼女の創作は、いうなればそうしたものを視覚化し作品化することによってバランスを保つための行為でもある。これは、二〇代前半のとき治療にあたってくれた西丸四方《にしまるしほう》博士の勧めに従った結果であるという。

草間は日本で正規の美術教育を受けて若い頃から個展を開催しているし、またアーティストとしての成功を強く願って単身渡米し、実際に成功者としてのキャリアを歩んだ、れっきとしたインサイダーである。その意味では、そもそも自らの創作を「作品」とさえ認識していないアウトサイダーとは厳然と区別する必要がある。だが流行の追従や戦略よりも病との闘いという自らの内的必然に忠実な彼女の作品は文字通りの「表現」であり、同時代の複数のスタイルを横断する性格を帯びている。結果として毀誉褒貶《きよほうへん》も激しく、一九六〇年代に「ハプニングの女王」として注目を集めるも、その流行が飽きられてからは長期の不遇を余儀なくされ、欧米のアートシーンにおいて再浮上するのは一九八〇年代後半以降のことであった。日本での評価はさらに遅く、文化勲章を受章したのは二〇一六年とごく最近のことである。

草間の展覧会をキュレーションする場合、その成否は抽象表現主義やミニマル・アートなど、同時代の複数の動向との親和性を持つ草間の作品をどのように美術史の文脈に位置づけ、その魅力を引き出すかに多くがかかっているといえよう。ちなみに、先の「パラレル・ヴィジョン」展で、草間はアメリカでの展示には含まれておらず、新たに日本公開時に追加された。ゴッホが除外される枠組みに草間が組み込まれる選出基準には違和感を覚えるが、ここはさしあたり、日米の解釈の違いということで納得しておくしかあるまい。

「盲者の記憶」

もちろん、「境界」のキュレーションの可能性が「アウトサイダー・アート」だけに限定されているわけでは全くない。別の事例として挙げておきたいのが、一九九〇年一〇月〜一九九一年一月に、パリのルーヴル美術館で開催された「盲者の記憶——自画像及びその他の廃墟《はいきょ》」展である。同展は、哲学者や作家、批評家など、美術史以外の分野の専門家にルーヴルのコレクションから独自の基準で作品を選び、展覧会を組織してもらい、その作品群に新たな意味を付与することを目的に企画された「偏見／決意」というシリーズの第一回を飾るもので、記念すべき第一回展の企画をルーヴルから委託されたのがジャック・デリダであった。

デリダは二〇世紀後半のフランスを代表する非常に高名な哲学者である。美術に関する深い造詣は、多くの著作の中に含まれるいくつかの美術論によっても明らかだが、「偏見／決意」と題するシリーズのスタートを飾るにふさわしい企画者として白羽の矢を立てられ、デリダ本人もこれに応諾したのであろう。その後このシリーズは、映画監督のピーター・グリーナウェイ、批評家のジャン・スタロバンスキー、哲学者のジュリア・クリステヴァらを企画者として継続されていく。

「盲者の記憶」展は、タイトルの通り、ルーヴルの膨大なデッサン・コレクションの中から「盲者のデッサン」「盲者によるデッサン」を選び出し、見ることと描くことの意義を根源から問いかけようとした意欲的な企画である。その問いを発するにあたり、デリダは膨大な知識を動員し、緻密な思考を駆使しているのだが、ここでは、本章のテーマである「境界」のキュレーションという一点にこだわってみたい。

「盲者の記憶」展を企画するにあたり、デリダは展覧会と同名の長編論考を出版しているが、その表紙に用いられていたのがアンリ・ファンタン＝ラトゥールの自画像である。ファンタン＝ラトゥールは一九世紀後半のフランスで活躍したサロン画家で、同時代に親交のあった印象派の画家たちには合流せず、より古典的、写実的な意識に立って多くの静物画や寓意画を描いた。あのマルセル・プルーストも、彼の作品を愛好する一人であったという。なかでも肖像画は彼の得意分野であり、その生涯を通じて多くの肖像画を描いているが、その中には少なくない数の自画像も含まれている。「盲者の記憶」展には、デリダがルーヴルのコレクションから精選したファンタン＝ラトゥールの自画像が多数出品されているが、表紙に使われた作品を含めて、これらの自画像にはいずれも左目に影がかかっているという

ファンタン＝ラトゥール
の自画像（1860年）

共通点がある。なぜこのような作品を選び、展示したのだろうか。その意図を、当のデリダは以下のように語っている。

われわれは私が初めに**視覚の仮設《ママ》**と呼んだものに近づいている。あるいは、それを直観的仮設、**直観の仮設**と呼んでもいい。推測と知覚は一般に区別される。仮設は直観に対立させられさえする、すなわち、「私は見る」（video, intueor）、「私は眺める」（aspicio）、私は「注視する、驚いて見る」（miror, admiror）、私は見て驚く、私は感嘆する、の直接性に。ここでは、そしてこれが範型となるのだが、われわれは直観を**仮定する**ことができるだけである。というのも、今この二つの場合（素描中の素描画家の、それも**正面から見られた**自画像）において、彼は鏡の正面で自分自身を素描しているところであると、したがって、素描画家の自画像を制作中の素描画家の自画像を制作中であると、われわれはただ**仮設によって**想像するのである。しかしそれは**推測**にすぎず、ファンタン＝ラトゥールは**別のものを**素描中の自分の姿（**素描する自画像**）を呈示しているのかも知れない。彼は正面から自分を素描しているのかも知れない、他のものに、あるいはわれわれに顔を向けて。だが、必ずしも自分に顔を向けているとは限らない、他の素描画家が自分の横顔を素

描しているように。（『盲者の記憶』／強調原文）

一連の自画像の多くは一八六〇年に制作されたものだが、当時過去の巨匠の模写に熱中していたファンタン＝ラトゥールは身近な人々の肖像を描くことを思いたった。そのプロセスで自画像を制作するようになった彼は、その作業を一八七二年頃まで継続した。判明している事実はここまでである。ただし、彼が左目を病や事故で失ったという伝記的事実は存在せず、また代表作として知られる油彩の自画像にはこのような影は描かれていないことから、一時期素描の実験的表現を意図して集中的に描いたものであることが推測される。そのことに対応するのが「視覚の仮設」と呼ばれるデリダの造語である。

では「視覚の仮設」とは何だろうか。デリダはそれを二段階に分けて説明している。

第一の仮設は次のようなものだ。素描は盲目である。男のあるいは女の素描画家が盲目なのではないとしても、素描は盲目である。つまり、素描という作業は、それ自体として、それ固有の契機において、盲目性となんらかのかかわりがあるのではないか、ということだ。（中略）盲者は見者でありうる、幻視者としての天命を帯びることがありうるということが。第二の仮設。これは目の移植であり、ある視点を別の視点の上に接ぎ木する。この仮設は、盲者の［＝を描いた］素描は盲者の［＝が描いた］素描である、というものだ。

（前掲書／強調原文／傍点引用者）

いうまでもなく、視力は人間の日常生活や知的活動を支える基礎能力の一つであり、その欠落は誰にとっても大きなハンディとなる。視力を失うことがしばしば光を失うこと＝闇にたとえられる所以《ゆえん》である。とりわけ視覚表象としての素描の制作にとって、それは重大なハンディとなるはずだ。だがデリダは「素描は盲目である」と言い切る。盲者と非盲者の「境界」に立って両者の関係を反転し、盲目にこそ素描の可能性が潜んでいることを指摘するのだ。「盲者の記憶」展に出品された数々の素描はその反転の可能性を示すために選ばれたものであったわけだが、その中にあって第二の仮設、すなわち「盲者の［＝を描いた］素描は盲者の［＝が描いた］素描である」という仮設は、左目の中に影を孕んだファンタン＝ラトゥールの自画像の在り方に対応している。

「仮設」の原語である temporaire は本来「仮の、一時的な」というニュアンスの言葉だが、『盲者の記憶』の訳者鵜飼《うかい》哲《さとし》は、デリダがこの言葉を「盲者の手または杖《つえ》のように、素描画家の手または鉛筆のように、暗闇のなかで前方へと投じられるもの」という独特な意味で用いていることを指摘している。この独自の用法、手が単に目に仕える道具的な器官ではなく、目はむしろ生後しばらくは盲目である人間の成長過程において、当初手の経験であったものを代補する仮設ではないかというハイデッガーらの議論を踏まえたものではないかという。

この仮説《ママ》に従えば、「盲者の〔＝を描いた〕素描は盲者の〔＝が描いた〕素描である」ということは、すなわち目の経験＝視力を持たない、手によってのみ経験される盲者の素描は、目によって描かれる素描に先行する「原素描」とでも呼ぶべきものだということになる。

「盲者の記憶」展に携わっていた当時、デリダは重度の顔面麻痺《まひ》を患っていたという。視力の不自由に苦しんでいたデリダが、ルーヴルの所蔵する多くの盲者のデッサンによって関心を刺激され、なかでもファンタン＝ラトゥールの自画像に自らの身体的苦痛を重ね合わせていたことは間違いない。自らの身体的苦痛を出発点として、盲者と非盲者の「境界」という特異点に立ち、様々な知見を動員して、綿密な参照関係を構築しながら素描という表現の全く新しい可能性を引き出した「盲者の記憶」展は、まさにデリダならではのキュレーションだったといえるのではないだろうか。

第五章　「事故」のキュレーション

リスボン大地震の記憶

二〇〇七年六月上旬、ポルトガルを旅行した。ちょうど開幕したばかりの第一回リスボン建築トリエンナーレの取材が主目的だったのだが、一週間にも満たぬ短い日程の中で、他にもリスボンやポルトの観光名所を慌ただしく駆け回ったことが思い出される。その中でも、最も強く記憶に刻まれているのがリスボン博物館の展示だった。庭に孔雀《くじゃく》が放し飼いにされていたその博物館の館内には、かつてこのヨーロッパ西端の町を襲った大地震の様子が、多くの遺留品や模型、ジオラマなどによって詳しく再現されていたのである。

ポルトガルはヨーロッパ屈指の地震大国で、首都リスボンは中世以降四度の大地震に見舞われている。なかでも甚大な被害をもたらし、この博物館でも展示の中心となっていたのが一七五五年の大地震である。

地震が発生したのは一七五五年一一月一日午前九時四〇分頃のこと。マグニチュードは八・五〜九・〇、震源はサン・ヴィセンテ岬西南約二〇〇キロの大西洋海底と推定されている。地震発生の当日はカトリックの祭日でもあり、街は朝から多くの人で溢れていた。当時リスボンは約二七万五〇〇〇人の人口を擁していたが、地震による地割れや建物の倒壊に巻き込まれた

リスボン大地震による倒壊、火災、津波の被害を描いた銅版画

約二万人が即死、火災や津波などの二次災害まで含めれば、最大九万人の命が失われたと推測されている。この地震によってリスボン市内の建物の八五％は倒壊し、また国王ジョゼ一世は当日宮殿の外にいたため難を逃れたものの、壁に囲まれた建物に強い恐怖を感じるようになり、郊外のテント群に移り住み、宮殿には戻ろうとしなかったと伝えられている。

　もっとも、この大地震が二一世紀の今日まで語り伝えられているのは、その被害の大きさ以上に、同時代のヨーロッパ社会に与えた様々な影響によるところが大きい。この地震は「国家が直後の対応と復興に責任を持った最初の近代的災害」といわれ、宰相セバスチャン・ジョゼ・デ・カルバーリョ・イ・メロの陣頭指揮のもと急ピッチで都市の復興が進められ、廃墟は比較的短期のうちに市街地から消えたという。カルバーリョ・イ・メロが後にポンバル侯爵を拝命したことから、復興時に建てられた耐震建築はポンバル様式とも呼ばれるようになった。この地震のもたらしたものは、その後の建築や都市計画に多大な影響を及ぼしたのである。

他方、ゲーテが『詩と真実』の中でこの地震を自らの真理探究の起点と位置づけたことや、「最善世界」をめぐるヴォルテールとルソーの大論争など、敬虔なカトリック教徒が多く住むリスボンの街を、あろうことか祭日に大地震が襲ったことがヨーロッパの精神世界に与えた影響は、計り知れないものがあった。この地震が神に依拠しない理性の普遍性を説く啓蒙《けいもう》思想やカントの批判哲学の出発点となったという注釈も、決して大げさなものではないだろう。また吉田朋正《ともなお》がリスボン大地震の結果生まれた現実の廃墟とヨーロッパの精神的伝統としてのピクチャレスク（絵画的）な廃墟が奇妙に一致していることを指摘しているように、その影響は文学や芸術の方面にも及んでいた。

私がリスボン大地震の展示を見たのはもう一〇年以上も前のことである。写真も撮影しておらず、またポルトガル語がわからなかったため、やむなく併記されていた英語によって知り得た情報は微々たるものでしかなかったが、それでも一七五五年の地震が二五〇年以上経った二一世紀にも大々的に展示される必然性は十分に理解できた。多くの遺留品、精巧な模型やジオラマに詳細な解説が付された展示は、まさに過去の記憶と記録を現在に継承しようとする「事故」のキュレーションの成果であった。

「事故の博物館」――いかにしてカタストロフを展示するか

二〇〇二年、福島県白河市のＪＲ東日本総合研修センター内に「事故の歴史展示館」が開館した。名前の通り、過去の様々な鉄道事故をパネル、映像、ＣＧや模型などを活用して展示した施設である。社員教育を目的としているため、展示を見ることができるのはＪＲ東日本の社員に限られるという。残念ながら私もその展示を見たことはない。

先述のリスボン大地震を引き合いに出すまでもなく、過去の災厄の記録を残し、記憶を伝えていく上で、その展示は重要な役割を果たす。当然そこでは、いかにして事故の記録を反映した展示を構成するのかというキュレーションの役割も大きいはずだ。その意味では、この「事故の歴史展示館」は有意義な試みではあるが、入館者が限定されているのは残念なことである。

もちろん博物館には、地震や鉄道事故に限らず、様々な種類の事故の記録が展示されることが望ましい。その点で興味深いのが、二〇〇二〜二〇〇三年にパリのカルティエ財団で開催された「これから起きるかもしれないこと」展である。残念ながら私はこの展示を見ていないの

1995年の阪神・淡路大震災で倒壊した阪神高速道路

だが、手元にあるカタログには「事故の博物館」というこの展覧会の企画趣旨についての論考や多くの図版が掲載されているため、それらの情報を手掛かりに内容を類推することは可能である。

「事故の博物館」は様々な事故の画像や映像が集められた、文字通りの事故のアーカイヴであった。地震、火災、台風、洪水、隕石《いんせき》落下、飛行機墜落、建物倒壊、原発事故など対象となる事故は多岐にわたり、地域や年代も様々である。阪神・淡路大震災や「九・一一」など開催時点での直近の大事故の映像も収録されていたし（今なら当然、「三・一一」の映像も展示されていただろう）、また少数ながら事故をテーマとして制作された現代美術の作品も展示されていた。

この展覧会は、「事故の博物館」という以前から構想していたアイデアを視覚化すべく、思想家のポール・ヴィリリオが企画したものであった。前章で言及したジャック・デリダらと同じポストモダンの系譜に位置づけられることが多いヴィリリオだが、速度やテクノロジーの問題に強い関心を抱く半面、建築家・都市計画家としての顔も持つなど、独特のポジションを占める思想家でもあることには注意しておきたい。

ヴィリリオが「事故の博物館」というアイデアをいつ頃から抱いていたのかはわからないが、一九八八年に浅田彰と対談した際に、ヴィリリオは既にそのようなアイデアがあることを明らかにしていた。阪神・淡路大震災や「九・一一」よりも早い時期にこの構想を触発したのは、果たして何だったのだろうか。ヴィリリオは自らのアイデアについて以下のように述べている。

> 予期せぬ大惨事の現出を目の前にしてこのように無力さを確認した以上、われわれは、**われわれを事故に晒す**通常の流れを逆転させて新種の博物館学、博物館管理技術を打ち立てねばならない。すなわち、今度は**事故を晒す**［＝展示する］（EXPOSER）というものだ。最も月並なものから最も悲劇的なものまで、自然の大惨事からテクノサイエンス的な災禍まで、加えて大抵は無視されてしまっている幸運な事故、まぐれ、青天の霹靂《へきれき》、さらには

「とどめの一撃」にいたるまで、ありとあらゆる事故を晒すのだ！

（『アクシデント——事故と文明』／強調原文／傍点引用者［同書は「これから起きるかもしれないこと」展の論考を基に編まれたものである］）

この「予期せぬ大惨事」は、直接には前年（二〇〇一年）の「九・一一」のことを指しているのだが、加えてヴィリリオは、事故から一六年も経った時点でチェルノブイリ原発事故の放射能汚染がフランス東部で発覚した事実をここに重ね合わせている。「ありとあらゆる事故を晒すのだ！」という強い断定は、明らかにここに由来している。博物館が記憶と記録のための施設であることは今さらいうまでもないことだが、加えてヴィリリオはそこに「事故を晒す」という強い機能を導入せよと提唱する（なお展示の原語exhibit／exposeには「晒す」という意味も含まれており、その意味では原義に近づこうとしているともいえる）。

この独特の思考には、「意識は事故があって初めて目覚める」ことを説いたポール・ヴァレリーの「知性の危機」や、世界が質量と形相によって成り立っていることを明らかにしようとしたアリストテレスの形而上学など、先行するいくつかの言説を参照して組み立てられたもののようだ。その核心を本人は別の場所で以下のように語っている。

ユダヤ－キリスト教でいう「原罪」にならって「原事故」と言ってもいいでしょう。船の発明が沈没事故を生み出し、鉄道の発明が脱線事故を生み出すように、新しい技術革新は必ず新しい事故を生み出します。そういう事故に学ぶことから、しかし、新しい知が生産されるのです。

技術の肯定面ばかりを強調するポジティヴィズムの思考は、そうした裏返しの発明の歴史を隠蔽し、重大な無知と危険を招くことになります。現代の最大の脅威は、超効率的な技術の発明がわれわれのコントロールを超えた事故の発明でもあるという事実を認識しないことなのです。

（『事故の博物館』のために）

テクノロジーと事故の発明

新しい技術革新は必ず新しい事故を生み出す。その通りである。そもそも原子力開発が進められなければ、チェルノブイリや福島の原発事故は起こらなかったし、それ以前に広島や長崎に原爆が投下されることもなかった。とはいえ、今さら原子力がなかった時代に戻ることはできない。問題は事故が起こってしまった後にいかに対応すべきかである。事故は隠蔽すべきものなのだろうか。明らかに違う。事故を隠蔽したとしても、そこからは何も生まれない。むしろそれを隠蔽するのではなく、敢えて晒すことによってこそ、新しい知が生産される。ヴィリリオはそのように考えていたし、「事故の博物館」はそのことを実現するための拠点として位置づけられていた。

ここでもう一点注目すべきなのが、ヴィリリオが「原事故」という造語を用いていることである。テクノロジーへの関心がしばしば強調されるヴィリリオだが、彼は一時期ステンドグラス職人としての修業を積んだこともあるカトリック教徒でもあり、この言葉は明らかに「原罪」からの翻案である。そこには、先に触れたリスボン大地震をはじめとする様々な事故によって危機に瀕しつつも、現在まで継承されてきた「カタストロフの思想」とでも呼ぶべきものの系譜を見ることができる。

それにしても、「これから起きるかもしれないこと」とは示唆的なタイトルではないか。この展覧会のフランス語の原題はCe qui arriveというのだが、実はこの言葉はラテン語のaccidensに由来している（ちなみに、私の手元にある英語版カタログのタイトルは「未知数」を意味するUnknown Quantityとなっている）。いうまでもなく、accidensは英語やフランス語のaccidentの語源でもある。ヴィリリオはこの言葉をしばしば「偶有性」という意味で用いている。

ところで、この展示にはある種の逆転の発想が認められる。常識的に考えれば、事故とは不意に見舞われるもの、不幸にして偶然遭遇してしまうものであり、その意味では受動的な対象である。だがここで語られている「事故を晒す＝展示する」というのは、明らかにそれとは逆の能動的な動機に裏付けられた発想である。そもそも「これから起きるかもしれないこと」というタイトルに対応するものなど、「事故」以外にはありえないではないか。これは、「事故＝偶有性の科学は存在しない」（「事故＝偶有性」を完全に予測することはできない）というアリストテレスの実体論を否定することなく、積極的に読み替えたものとして理解してよいだろう。

この能動的な発想は、アウシュヴィッツやヒロシマを例に取るとわかりやすいかもしれない。アウシュヴィッツもヒロシマもかつて人類史に残る惨劇に見舞われた場所だが、惨劇の象徴である強制収容所や原爆ドームが取り壊されずに晒すこと＝展示の対象となり、多くの人々の眼に触れたことによって、その記憶と記録は後世へと継承されていくことになった（強制収容所の跡地は今やそれ自体が一つの巨大なミュージアムといっていいし、一方広島では平和記念資料館がドームを補完する役割を果たしている）。記憶と記録がミュージアムの重要な機能であることはいうまでもないし、事故を正確に記憶・記録することにこそ「事故の博物館」の意義はある。このプロセスは、惨劇を正視することを恐れ、隠蔽することによっては決して発生しないものである。

また全く違った能動的な発想の例として、スフリエール火山の（非）爆発を挙げることができるかもしれない。カリブ海に浮かぶバス・テール島のスフリエール火山は絶えず煙を噴き上げている活火山であり、「これから起きるかもしれないこと」展のカタログには、一九九七年八月にこの火山が爆発したときの写真が掲載されている。だがその二一年前（一九七六年）には、確実視されていた大爆発が結局起こらず、約七万二〇〇〇人の島民の一斉退避が全くの徒労に終わったことがある。ヴェルナー・ヘルツォークの映画「ラ・スフリエール／起こらざる天災の記録」は、このエピソードの記録である。実際に起こった爆発との対比で、起こらなかった爆発の記録であるこの映画もまた、「これから起きるかもしれないこと」の一例として大いにふさわしいのではないだろうか。

ともかくも、すべての事故が晒すこと＝展示の対象となるわけではない。博物館の展示である以上、そこには一定の基準が求められる。それは観客の怖いもの見たさを誘発するようなものではあってはならないし、逆に事故をスペクタクル化することもあってはならない。確かに、「これから起きるかもしれないこと」展のカタログの様々な事故の図版を見ると、あからさまに恐怖を喚起するような場面や死体の画像は一切掲載されていないことがわかる。ヴィリリオにとって重要なのは事故が記録や記憶に値すること、発明の契機となることであって、カタストロフィックな美ではないのだ。そのことは、「事故の博物館」を実現する上で決して失念してはならないことである。

アート・テロリスト、バンクシーの成功と失敗

ここで視点を変えて、バンクシーに注目してみよう。バンクシーといえば、様々な非合法的、挑発的な活動によって物議を醸し、「アート・テロリスト」の異名によっても知られる現代美術の作家である。出身地のイギリス・ブリストルにおけるグラフィティの活動で頭角を現し、現在はロンドンを拠点に活動する彼の正体は謎に包まれているが、遠く離れた日本では知る人ぞ知る存在であった彼の名が、二〇一九年一月に一躍クローズアップされることになった。東京臨海新交通臨海線「ゆりかもめ」の日の出駅近くの防潮扉に描かれていたネズミの落書きがバンクシーの作品である可能性が、小池百合子東京都知事のツイッター上の発言で明らかになったからだ。あのネズミの落書きが本当にバンクシーの作品なのか否か、もちろん私もその真贋はわからない。ただこのニュースを聞いたとき、「バンクシーならそれくらいやりかねないな」と思ったことは事実である。

実のところ、バンクシーは以前から「アート・テロリスト」の異名に違わぬ様々なゲリラ的

活動を展開しているが、「事故」のキュレーションという本章の趣旨に引き寄せたとき、最も興味深いのは、二〇〇〇年代前半の一時期に集中的に行われた美術館・博物館でのゲリラ展示と、二〇一八年一〇月にオークションの席上で起こったシュレッダー裁断事件である。順に見ていこう。

まずゲリラ展示だが、手始めに標的としたのが、ウィリアム・ターナーの作品を多数所蔵することで知られるテート・ブリテンだった。二〇〇三年のある日、同館に侵入したバンクシーは「立ち入り禁止」というテープを張り巡らせた絵画を風景画のコーナーに持ち込んで勝手に展示する。この作品は当日のうちに撤去されるが、それでも数時間は誰にも気づかれずに壁に掛かっていたという。翌二〇〇四年、バンクシーは今度はロンドンの自然史博物館に潜入し、ガラスケース入りのネズミを勝手に展示する。このネズミもすぐに撤去されるが、「有害生物防除」というキャプションの添えられたメッセージ性の強い展示は、発覚した後に大いに話題になった。

そして二〇〇五年、バンクシーはMoMA、メトロポリタン美術館、ブルックリン美術館、アメリカ自然史博物館、大英博物館といった高名な美術館・博物館に次々に侵入、各館の常設コレクションを装った自作を持ち込み、パロディを交えた詳細なキャプションを用意して無許可で設置して回ったのである。このときの様子は自らの作品集や映画「イグジット・スルー・ザ・ギフトショップ」で紹介されているが、素顔を見られないように帽子やフードを目深にかぶったバンクシーが、厳重な警戒の隙をついて作品を展示して回る様子は、あたかも作品を盗むために潜入した怪盗のようであった。設置された作品はいずれも後に撤去されてしまったが（ちなみに、大英博物館に仕掛けられた古代人がショッピングカートを押している壁画の断片の作品は、設置後三日間経っても誰も気づかなかったため、しびれを切らした［?.］バンクシーが自らのホームページで公表したことによって、その「犯行」が明らかになった）、彼のアート・テロリストとしての名声を高めるには十分すぎるインパクトがあった。私は以前、そのふるまいを書店の棚に「黄金色に輝く恐ろしい爆弾」を仕掛けた様子を描いた梶井基次郎《かじいもとじろう》の『檸檬《れもん》』にたとえたことがある。

美術館といえば、多くの怪盗の活躍の場でもある。美術館を舞台に怪盗が活躍する小説や映画は少なくないし、二〇世紀初頭に発生した「モナ・リザ」盗難事件をはじめ、実際に名画が盗難にあった出来事も存在する。「新しい技術革新は必ず新しい事故を生み出す」ことを喝破したヴィリリオに従えば、「美術館を発明することはコレクションの盗難事故を発明することである」となるだろうか。してみると、怪盗同様の颯爽《さつそう》とした身のこなしで、盗難とは真逆に自分の作品を設置して回ったバンクシーは、盗難事故とは逆ベクトルの事故を発明したといえるだろう。なお、先に触れたアート・テロ行為の中で、大英博物館に設置された作品《ペッカム・ロック》はその後正式にコレクションに加えられたことを付言しておきたい。これもまた、美術史・博物史の一節を書き換えようとするバンクシー流のキュレーションの成果なのかもしれない。

一方、シュレッダー裁断事件は二〇一八年一〇月五日、大手オークションハウスのサザビーズがロンドンで開催したオークションの席上で起こった。この日のオークションで、一点のバンクシー作品が競売にかけられた。タイトルは《風船と少女》。赤いハート形の風船が黒いシルエットの少女の手を離れて空に飛んでいく様子を描いた縦長の絵画作品である。もともとロンドンの街中に同じ図柄のグラフィティを描いていたバンクシーはこの作品の様々なヴァリエーションを展開しており、この日のオークションには、所有者がバンクシーから直接購入したという絵画バージョンが額装された状態で出品された。当日の落札価格は一〇四万二〇〇〇ポンド（約一億五〇〇〇万円）であった。

著名なアーティストの作品の高額落札。そのこと自体は別段珍しくもない。だがその直後に事件が起こった。会場にアラームが鳴り響くやいなや、作品の額縁にあらかじめ仕込まれていたシュレッダーが《風船と少女》の絵画を裁断してしまったのである。当初の予定通りか機械

落札直後に裁断されたバンクシーの《風船と少女》

の故障かはわからないが、シュレッダーは途中で停止し風船の部分は辛うじて残されたが、少女の部分はほとんど裁断され、作品の原型はあらかた失われてしまった。落札された作品がシュレッダーで裁断される場面は、現場にいたオークションの参加者たちが狼狽《ろうばい》する様子と併せて多くのニュースで繰り返し放映され、バンクシーのアート・テロリストとしての名声はこの日を境に一層高まった。事件から間もなくしてバンクシーは自らのインスタグラムを更新して「破壊の衝動は創造の衝動である」というピカソの言葉を紹介し、併せて作品を完璧に裁断したリハーサルの映像を公開して、《風船と少女》の額縁には数年前からシュレッダーを取り付けていて、競売で落札されたらすぐさま裁断するつもりだったことを明らかにした。裁断が中途半端な結果に終わったことは失敗だったというのである。

競売作品の裁断はそれだけで大いにスキャンダラスな事件だが、その後騒動はさらに拡大する。事件が広く報道された直後から、この裁断劇が実はバンクシーとサザビーズによって仕組まれた「やらせ」ではないかとの疑念が噴出したからである。バンクシーとサザビーズはともに疑惑を否定したものの、その釈明に納得しない者は少なくなく、「やらせ」疑惑はその後もくすぶり続けている。

この裁断劇が「やらせ」であったのか否か、もちろん私にはわからない。バンクシーとサザビーズによる共謀は、情報が漏洩したときのことを思えば両者にとってリスクが大きすぎるし、かといって《風船と少女》を収めていた額縁は作品のサイズに比べて不相応に大きく、オークションの関係者が競売にかけられる瞬間までそこに仕込まれていたシュレッダーに全く気づかなかったというのも不自然だ。YES／NOいずれの回答も決め手を欠くのが正直なところである。

それにしても、仮にYESだとすれば、なぜバンクシーとサザビーズはこんな「やらせ」を仕掛けたのだろうか。それは、現代美術が資本主義社会における一種の知的ゲームであり、既存の価値を嘲ることによって、かえって作家や作品の価値が向上するものと認識されていることが大きい。実際、落札者は裁断されて原型を失った《風船と少女》を当初の落札額通りに購入し、《愛はゴミ箱の中に》と改題された作品はその後ヨーロッパ各地の美術館やギャラリーで展示されたことによって価値が高まり、再び競売にかけられれば前回以上の高額で落札されることが確実視されている。バンクシーは現代美術というゲームの中でうまい具合に立ち回って自作の市場価値を巧妙に吊《つ》り上げ、サザビーズもその利益に与《あずか》ったというわけである。

一方、バンクシーにも疑惑を否定しなければならない理由があった。バンクシーはストリート出身のアーティストであり、先に紹介した美術館・博物館でのゲリラ展示が典型的だが、排他的、エリート主義的な現代美術の諸制度には一貫して批判的であった。その批判の対象には、本来であれば美術館のコレクションやオークションの競売の対象とはならないはずのグラフィティを、商品として扱うアートマーケットも含まれている。そのバンクシーが実は大手オークションハウスと結託した「やらせ」によって自作の市場価値の吊り上げを図っていたのだとすれば、今までの彼自身の反権威的な主張や行動は単なるポーズにすぎなかったとみなされてしまうだろう。そうなれば当然、「アート・テロリスト」としての名声もその瞬間に地に落ちてしまう。

ここで逆に、この事件は決して「やらせ」ではなく、インスタグラムでの発言通り、バンクシーはオークションの席上で自作を完全に裁断するつもりだったと仮定してみよう。その目論見が成功した場合、《風船と少女》という作品は消滅し、後にはシュレッダーの仕込まれた空の額縁だけが残されることになるが、果たしてそれで競売は不成立に終わっただろうか。その可能性はほとんどなかったように思われる。というのも、オークションの席上で有名作家の絵画が裁断されるのは前代未聞のショッキングな出来事であるばかりか、もう一つの「主役」である額縁もまたバンクシーの「作品」であることに疑いの余地はない。とすれば、絵画が失われたその次の瞬間、残された空の額縁に新たなバンクシーの「作品」として唯一無二の価値が発生し、それ自体が高額落札の対象となることは間違いないからだ。バンクシーの意図が作品の裁断によって競売を不成立に追い込むことにあったとすれば、それはまず成功しなかっただろうといわざるを得ない。

ここでようやく「事故」のキュレーションという視点を導入することが可能となる。「やらせ」の有無はともかく、バンクシーが事故を起こすことによって既存の価値を転倒させ、新たな価値の創出を試みたことは間違いないし、美術館・博物館でのゲリラ展示ではそれが一定の成果を上げたということができる。だがオークションの席上における自作の裁断は、市場価値の吊り上げが目的でなかったのだとすれば、成功だったとはいいがたい。シュレッダーによる裁断という「事故」のキュレーションは、現代美術のゲーム性を読み誤っていたという点で、端的に失敗だったというべきだろう。

繰り返すが、バンクシーは現代美術の制度に対して一貫して批判的だが、皮肉にもまさにその批判的なスタンスによって、現代美術の世界におけるバンクシーのプレゼンスはますます向上しつつある。この逆説は、事故を起こすことによって既存の価値を転倒させるバンクシーの「事故」のキュレーションには、資本主義の罠《わな》の前では一定の限界があることを示している。バンクシーがこの逆説からの脱却を目指すのであれば、新たなキュレーションの可能性を探るべきなのかもしれない。

ダークツーリズム――「事故」を巡る旅のキュレーション

再三繰り返しているように、本書のテーマであるキュレーションは知的生産技術全般を指し、その対象は必ずしも展覧会企画に限定されない。第三章でキュレーションの観点から「観光」を取り上げたのもその一環だが、「事故」のキュレーションという本章のテーマに則して、今度は旅行の中でもダークツーリズムを取り上げてみよう。

ダークツーリズムといっても、まだこの言葉を知らない読者もいることだろう。それもそのはず、この分野の第一人者と目される井出明《いであきら》によると、ダークツーリズムとは一九九〇年代にイギリスで提唱され、二〇〇〇年代に学術論文などで本格的に言及されるようになったごく新しい概念であるからだ。戦争や災害などの悲劇的な側面に観光資源としての価値を見出し、かつてそうした出来事が起こった場所に多くの人間が訪れる現象を指す言葉、とでも定義できるだろうか。War Tourism や Holocaust Tourism という言葉は以前から存在したが、ダークツーリズムはそれらの射程をより拡大した概念である。

ヨーロッパ発祥のダークツーリズムだが、そのケース・スタディの対象として圧倒的に論文の数が多く、また実際多くの観光客が訪れることで有名な場所がポーランドのアウシュヴィッツだ。周知のように、アウシュヴィッツにはナチスドイツが大規模なユダヤ人の収容施設を建設し、ヨーロッパ各地からここに連行された多くのユダヤ人が、二度と施設の外へ出ることがないまま命を落としたが、終戦後もその遺構は残されている。

私も数年前に一度現地を訪れたことがあるが、ポーランド第二の都市であるクラクフの駅の最寄りのバスターミナルからは収容所行きのバス（なおアウシュヴィッツはドイツ語であるため、バスの目的地はポーランド語のオシフィエンチムで表示されている）が頻繁に発着し、ターミナルは事実上アウシュヴィッツへの観光拠点と化していた。また現地でも、ドイツ語とポーランド語のほか、英語、フランス語、スペイン語、イタリア語、ロシア語など様々な言語のガイドが用意されていて、ここに各国から多くの観光客が詰めかけていることが実感された。残念ながら既に申し込みが締め切られていたため訪れた当日の予約はできなかったが、一人だけ日本人のガイドが活躍していることも知られている。

既に述べたように、アウシュヴィッツは多くのユダヤ人が命を落とした場所である。そうした土地を観光地化することには悲劇を商売のタネとしている側面も指摘されるが、一方で悲劇の現場を訪れ、その遺構を通じて当時のユダヤ人の置かれた境遇に思いを馳せることによって、過去の惨劇を風化させずに記憶と記録を後世に伝承するという役割があることを忘れてはなるまい。先に紹介した通り、リスボン大地震を展示した博物館もそうした役割を担っているなど、それは博物館や歴史遺構の役割ともいえるものである。

一方日本でも、古くから戦国時代の古戦場などが観光地として親しまれてきたほか、旧満州国時代には日露戦争の激戦の地であった旅順や二百三高地には多くの観光客が詰めかけたという。もちろんこれらの地の史跡を見ることで得られるものもあるだろうが、ただこれらの旅行は戦争の悲劇的な側面にスポットを当てたものではないだけに、ダークツーリズムとみなすことは難しい。

その点で、日本人にとって直近の戦争であるアジア・太平洋戦争にスポットを当てたツアーはダークツーリズムたりうるが、その本格的な導入には困難を伴うことが予想される。それはやはり、この戦争が全国各地への空襲や攻撃によって軍人のみならず民間人にも多数の死傷者を出したと同時に、日本によるアジアに対する侵略戦争でもあったという二面性を有しているからである。それゆえその戦争を対象とした展示も、原爆ドームやひめゆりの塔に代表される戦争被害を訴えるものと、靖国《やすくに》神社の遊就館に代表されるアジア解放のための聖戦という主張をするものに二極化されることになる。個人的には国内の戦争遺跡や海外神社を巡る旅に強い関心があるのだが、アジア・太平洋戦争を対象としたダークツーリズムを確立するためには、今後も様々な可能性を検討していく必要がありそうである。

そうした中にあって、近年では日本独自のダークツーリズムを提唱する動きもある。『福島第一原発観光地化計画』はその一例といえるだろう。これは、「三・一一」の現場となった福島第一原発の跡地と周辺地域を観光地化しようという提言である。「三・一一」は震災の直接の被害以外に多くの二次災害をもたらしたが、その中でも特に被害が甚大であった福島第一原発の事故を一種の観光資源として活用しようとするこの提言は、文字通りのダークツーリズムといえよう。

この提言に対しては、「不謹慎だ」「被災者に配慮しろ」といった反発が寄せられた。当然といえば当然であり、仮に実際に催行するとしても、特に被災者の心情に細心の配慮が必要なのはいうまでもない。一方、今まで述べてきたダークツーリズムの意義に即せば、フクシマの惨状を風化させずにその記憶や記録を後世に伝え、また被災地に一定の経済的な利益をもたらすという点でも、この計画には大いに検討の価値がある。

この計画の中心人物である東《あずま》浩紀《ひろき》は、チェルノブイリの現場から多くの示唆を受けたという。一九八六年に旧ソ連（現ウクライナ）のチェルノブイリで発生した原発事故は、レベル7を記録した、現時点では福島第一原発の事故に匹敵する唯一の原発事故である。二〇一三年に現地を訪れた東は、事故から二七年経った当時、多くの人々が後遺症で苦しんでいる中で、地元の人がみな口を揃えて、事故の記憶の風化を懸念していたと回想している（その意味では、二〇一九年に日本でも放映されたアメリカのテレビドラマ「チェルノブイリ」に寄せられた多大な反響は、この惨劇が依然として強いインパクトを持っていることの証明といえるかもしれない）。今後フクシマもそうならない保証はないだろう。二〇二〇年の東京オリンピック招致が決定した二〇一三年のＩＯＣ総会における安倍首相（当時）の「アンダーコントロール」発言はその一例だ。少なくとも、原発事故への関心が低下しているという確信がなければ、あの場面であの発言は決してありえなかったはずである。

ダークツーリズムもツーリズムの一環である以上、催行にあたっては情報検索に裏付けられた綿密な旅程の作成が不可欠である。移動手段や宿泊先、訪問先の選定はもちろん、原発事故の記憶と記録を可能な限り正確に継承し、また現地の人々を不快にさせずに交流するアイデアをいかにして盛り込んでいけるか――チェルノブイリを対象としたツアーは既にある程度のコンセンサスを得たといえるようだが、果たしてフクシマでも同じことが可能だろうか。トーマス・クック以来の旅のキュレーションの技術が、ここで新たに問われることになる。

第六章　「食」のキュレーション

「ワイン展――ぶどうから生まれた奇跡」

「食」は人間が生きていく上で必要不可欠なものであり、様々な形で「食」をテーマとした美術作品が膨大に存在する一方で、「食」をテーマとした展覧会は意外と少ない。これは、展覧会のテーマ設定が意外と難しいことに加え、美術作品自体が飲食の対象ではないことや、展覧会場が原則として飲食禁止であることが大きな理由と思われる。だが近年は、主に現代美術の分野で食品を制作素材とする作品が登場し、また地方の芸術祭などで観客に地元の料理や酒をふるまう機会が増えるなど、状況が大きく変わりつつある。

一口に「食」といっても、料理、調理法、食材、生産、「食」をテーマとした美術作品などアプローチの方法は様々だし、最近は二〇一五年の国連総会で採択されたSDGs（持続可能な開発目標）という観点からの関心も高まっている。「食」の多くは「環境」とも重なるし、また極端な言い方をすれば、厳密な計量や食材の加工を必要とするレシピの作成も、情報の収集・選択で成り立つ。これほど魅力的なキュレーションの対象はそうそうあるものではない。

そこで本章では、いくつかの展覧会に加えて万博を「食」という観点から考察してみることにする。手始めに取り上げたいのが、二〇一五年一〇月～二〇一六年二月にかけて、東京の国立科学博物館で開催された「ワイン展——ぶどうから生まれた奇跡」と題する展覧会である。同展は名前の通りワインをテーマとした展覧会で、第一部「ワイナリーに行ってみよう」、第二部「ワインの歴史」、第三部「ワインをもっと楽しむ」の三部によって構成されていた。

ワインの銘醸地には、ワインの販売や試飲と並行して、ぶどう栽培やワイン醸造についてのレクチャーを行っているワイナリーもある。ワイン好きの読者の中には実際にワイナリーを訪れて、そのようなサービスを受けた経験のある者もいるだろう。第一部のタイトルが「ワイナリーに行ってみよう」だったこともあり、私も事前にそういう展示を想定していたのだが、実際に訪れてみると、それはより本格的な、ワインを一つの文化として考え、新しい価値を提示する展示として成立していた。

第一部ではぶどう栽培やワイン醸造はもとより、ワイン用ぶどうと食用ぶどうの違い、発酵の科学的メカニズム、瓶やコルクの種類、貴腐ワインなどについて、第二部では西アジアで生まれたワインがその後世界に広まっていくプロセスや日本で独自の発展を遂げた甲州ワインの歴史などについて、第三部ではワイングラスの種類や国内外のワイナリーなどについて、それぞれ詳しく紹介するといった具合である。カタログの造本も、さながら高級レストランのワインリストのようであった。

これはもちろん、同展がワイナリーの商品展示に比べて相対的に大規模であり、より多くのモノを展示できたということもあるだろうし、また科学展示に関しては会場の充実した科学インフラに多くを負っていただろう。いずれにせよ、この展覧会を組織するのに何より重要であったのがワインについての基礎的な素養であることに疑いはなく、そこに畑違いの美術についての素養は必要ないように思われる。実際、事前の予想に反して、同展にはワインと関連した美術作品は全く出品されていなかった。

もっとも、以下のブログ記事を読む限り、美術作品が出品されていないからといって、同展は美術展と全く無関係というわけでもないようだ。同展のプロデューサーは、ワインの専門資格であるワインエキスパートのみならず、美術検定一級（アートナビゲーター）という美術の専門資格も併せて所持していて、同展の企画にあたっても、資格取得の際に学習した美術展の手法を大いに参考にしたことを明らかにしており、そのコメントからは、両者の共通性を強く意識していることが察せられる。

この展覧会では、ワインの作り手さんの思いを伝えることにも重点を置きました。美術もそうであるように、できあがった作品だけでなく、そのプロセスや作り手さんの思いにまで思い至ることができたら、より深く楽しめるのではと考えたからです。壁一面のモニターにワイナリーの映像を投影したり、ワイン畑にいるようなディスプレイや、醸造時にワインを櫂《かい》でかき混ぜるピジャージュ疑似体験などなど、体感できる演出は〝どのように分かりやすく伝えるか〟を体現したものです。主催者としてはもちろん、ワインの作り手さん、そして何より来ていただく方々など、それぞれの視点で構成を積み上げていきました。
(http://bijutsukentei.blog40.fc2.com/blog-entry-202.html 二〇一〇年一二月七日閲覧)

美術と同様に、ワインもまた長い歴史に裏打ちされた膨大な蓄積のある文化である。両者の接点として、ワインの瓶が描かれた静物画などはそれこそ無数に存在する。ジョルジョ・モランディのような画家なら、ワインの瓶を描いた絵画を集めるだけで一つの展覧会を作ることができるだろう。また瓶やワイングラスなどの酒器やエチケット(ラベル)のデザインにも美術的な要素はある。ただそのような接点に着目しただけでは、せいぜい「ワインをテーマとした美術展」にしかならないだろう。

ここで注目すべきなのは、同展のプロデューサーがワインに対して、美術と同等のモノとしての情報＝非言語情報として接し処理した点、すなわち美術展を組織するにあたって有益な情報の収集や取捨選択のノウハウを、このワイン展にも広く応用した点である。ワインの魅力を引き出すためには、どのようにしてメディアを活用するべきで、またどのような演出を行うべきか。言い換えるなら、いかにしてワインという情報を分類・整理して提示するべきか。ワイングラス一つを陳列するにしても、棚に収めるべきなのかテーブルの上に載せるべきなのか、どのような照明をどの角度から当てるべきなのか、あるグラスの隣にはどのグラスを並べるのか、考えねばならないことは少なくない。美術展を作るためのノウハウは、このワイン展にも大いに生かされている。美術展の技法を積極的に応用したという意味で、この展覧会は情報の収集と取捨選択の汎用性をさらに一段推し進めた、「食」のキュレーションの一例といってもいいだろう。

Arts & Foods

二〇一五年の夏、ミラノを訪れた。最大の目的は現地で開催中だったミラノ万博の視察だったが、私は四泊五日の滞在期間中、丸一日をメイン会場以外の展示をいくつか回ることに充て、その途中で興味深い展覧会に出会った。ミラノ・トリエンナーレで開催されていた「Arts & Foods. Rituals since 1851」展である。

ミラノ・トリエンナーレとは一九三〇年代来数年おきに開催されている、BIEが国際博覧会として認定している美術・デザイン展のことであり、同じ名前の常設会場（正式名称はトリエンナーレ・デザインミュージアム）が市内の一角に居を構えている。ミラノ万博の入場券は、この常設会場で開催されている「Arts & Foods」展の入場券も兼ねていて、また同展のカタログやポスターには万博のロゴが併記されているなど、同展が万博の公式プログラムの一環であったことがわかる。

一言でいえば、「Arts & Foods」展は一八五一年から現在に至るまでの「美術」と「食」の関係を様々な角度から検証した展覧会だ。会場には台所や食卓、ピクニックやカフェ、レストランなど「食」に不可欠な空間を再現し、その一角に「食」にちなんだ絵画や彫刻などを配置する趣向である。印象派、アール・ヌーヴォー、ポップ・アートなど、会場に配置された美術作品は一九世紀後半以降の主要な美術の動向を一通り網羅しており、関連する写真や映像も豊富に展示されていた。また美術作品のみならず食器、家具、キッチン、家電製品など「食」に関連する各種のデザインもところ狭しと陳列され、食材の調理法や保存法の発達も併せて確認できるように構成されており、美術展と同時に見本市を見ているかのような気分にもさせられた。

展覧会を企画したジェルマーノ・チェラントによると、同展が一八五一年を起点としているのは、ちょうどこの年に史上初のロンドン万博が開催されたからとのことで、その切り口はいかにも万博の関連企画らしい。ロンドン万博に出品された美術作品は彫刻数点だけであったが、その後、回を重ねるごとに、万博に出品される美術品の数は増えていったという。他方、世界各国から様々な物産が集まる万博は、草創期から各国の食材や料理が一堂に会する「食」の祭典でもあった。チェラントはカタログに万博とサロンや美術館との関係を考察したエッセイを寄稿しており、一八五一年を起点とする「食」と「美術」の関係のパノラミックな美術展示こそが、「食」をテーマとするミラノ万博の関連企画としてふさわしいと考えたものと推測される。サブタイトルのRituals＝儀式は、パンとワインを摂取する聖体拝領などを例に出すまでもなく、「食」が儀式としての側面を伴っていることに対応したものだろう。

もっとも、キュレーションという観点からは、同展の展示にはいささか疑問が感じられた。理由は単純明快で、あまりにも出品作品の点数が多すぎたからである。展覧会の性格上、会場には「食」にちなんだ多くの美術作品が溢れていた。ワイン瓶を描いたジョルジョ・モランディの静物画やアンディ・ウォーホルのキャンベルスープ缶の絵といった定番はもちろん、とりたてて「食」の印象がないジョルジョ・デ・キリコの意外な作品なども展示されており、キュレーターのチェラントが、戦後イタリアの代表的な美術動向である「アルテ・ポーヴェラ」の名付け親として知られる高名な美術評論家でもあることが実感された。

とはいえ、さすがに映画「ブレードランナー」の食事の場面まで展示の中に組み込んでいるのは、牽強付会《けんきょうふかい》な印象を免れなかった。その膨大な情報量は明らかに私の処理能力を超えていたし、会場で同様の印象を抱いた観客も少なくなかったのではないか。万博の関連企画である以上、ロンドン万博以降の「食」を全体のテーマとするのは是としても、その下にいくつかのサブテーマを設けるなどして、展示する作品の方向性と数をある程度抑制する措置が必要であったように思う。

同展の総展示面積は約七〇〇〇平方メートル、展示作品は約二〇〇〇点にも達し、会期が終了した現在も、一〇〇〇ページ近くもある分厚いカタログが規模の大きさを偲《しの》ばせる。そこには会場に展示されていた多数の作品の図版が掲載されているが、もはや会場で見た記憶が失われてしまったものが大半だ。チェラント以外にも、ハンス・ウルリッヒ・オブリストやニコラ・ブリオーといった著名なキュレーターが寄稿するなど、このカタログには貴重な情報も含まれているが、少なくとも情報の取捨選択は明らかに厳密さを欠いていた。万博の関連企画ということもあり、取捨選択は二の次でとにかく大量に集めることが最優先されたのかもしれない。魅力的なテーマであったがゆえに、取捨選択がやや杜撰《ずさん》に感じられたことが残念であった。

Food: Bigger than the plate

一方、同じく「食」をテーマとしていながら、「Arts & Foods」展とは全く異質な展覧会が、二〇一九年の夏、ロンドンのビクトリア・アンド・アルバート博物館(V&A)で開催された「Food: Bigger than the plate(フード　皿よりも大きなもの)」展である。この展覧会は、食器の紹介からSDGsという視点の導入まで、様々な切り口から「食」の問題を考えるきっかけを提供してくれる構成となっていた。キュレーションという観点から、いくつか取り上げてみよう。

この展覧会で最初に驚かされるのが、チケットを食べられることだ。残念ながら私はその機会を逸したのだが、会場内には一部飲食OKのコーナーがあり、そこで実際にチケットを口にしている観客の姿を何人か見かけた。同じく会場内には、海藻を原料とする自然細胞膜によってつくられた食べられるペットボトルも展示されていた。このペットボトルは、中にドリンクを入れて携行するなど、本来の用途に全く不足はないという。

また、コーヒー豆を使ったキノコの栽培を紹介するコーナーも設けられていた。キノコの栽培というと、薄暗い倉庫で菌床に菌を付着させて行うようなイメージがあるが、ここではコーヒーの豆かすを詰めた透明の袋をぶら下げる栽培法が紹介されていた。私もこの展示で初めて知ったのだが、コーヒー豆とヒラタケは実に相性がいいらしく、また通常の栽培法では必須の蒸気を噴霧するプロセスが不要であることから省エネルギーという点でもメリットがあるという。SDGsの観点からも奨励される栽培法というわけだ。

同じく会場内には、人間のバクテリアから製造されたチーズが紹介され、試食も提供されていた。人間の体内のバクテリアには乳を発酵させる機能を有するものもあるとのことで、詳細なメカニズムはわからないが、何らかの方法によって活用したのだろう。会場内には、イギリスのセレブから提供されたバクテリアによって作られた、チェダーやモッツァレラなどの各種チーズが展示されていた。

この展覧会の最大のハイライトの一つが、ロキ・フードラボの出展＝出店であった。ロキ・フードラボは「ゲノム式美食」という独自のコンセプト（この場合のゲノムとは、もちろん生体の遺伝情報のことだろう）に基づいた料理を提供する移動式レストランで、世界各地で仮設店舗を構えてユニークな料理をふるまい、好評を博してきた。同展に出展＝出店を果たしたのも今までの実績を買われてのことであろう（「出展＝出店」とは、ロキ・フードラボのカウンターはカフェスペースではなく、展覧会場に設けられていたという意味である）。

会場の一角にタブレット端末が置かれたカウンターが取り付けられていて、その奥には解像度の高いスクリーンが設置されている。カウンターで端末にアクセスした観客にはまず「バイオリージョン」という生態情報によって食の嗜好を調査することが告知され、切り替わった次の画面には、ヴィーガン、トラディショナル、プロテイン・リッチといった一五項目の食のスタイルのリストが並んでいて、その中から任意の三つを選択するように促される。ほどなくして自分の番号が呼ばれると、選択に応じて配合された味の食品がレシピとともに配られる、という趣向だ。このスタイルのリストに精進料理やハラール（イスラム法で認められた食品）などの選択肢を追加し、さらにバラエティを拡張することも可能であろう。

一般のレストランでは、客はメニューを見て注文する料理を選択する。またふるまわれる料理の味は、料理人の経験や勘に依拠する部分が非常に大きい。だが「ゲノム式美食」を標榜し、多くの食材の生態情報を独自に分析し、組み合わせることによって提供されるロキ・フードラボの料理のレシピは、一般のレストランのそれとは大いに異なっている。情報処理の仕方の相違が料理のレシピの違いへと直結したことは、「食」のキュレーションの観点からも大いに興味深い。

同じ「食」をテーマとしながらも、「Arts & Foods」と「Food」は大いに性格の異なる展覧会であることがわかる。その最大の理由として、前者があくまで美術展の枠組みの下で企画されたのに対し、後者はむしろ博物館の科学展示や見本市の食品展示に近い性格のものであったことが挙げられる。加えて、前者は良くも悪くも総花的で展示の意図が明快とはいえず、出品点数が多い半面、個々の作品がさして印象に残らなかったのに対し、後者は農業やごみの問題などSDGsに関連したいくつかのアプローチを通じて「食」の問題を考えようという姿勢が鮮明であった。何より決定的だったのは、後者は会場内でも飲食OKだったことである。食品は美術作品のように目で鑑賞するものではなく、本来経口摂取するもの、要するに食べるものである。「食」の問題について考え、何らかの解を導こうとする際に、実際に食べてみることが何より有効な手段であることはいうまでもない。キュレーションという観点に立ったとき、どちらの展示がより的確であったかは明らかではあるまいか。「皿よりも大きなもの」とは、いいえて妙である。

ところで、「Food」展の的確なキュレーションは、会場の条件に負う部分も少なくあるまい。拙著『世界のデザインミュージアム』でも詳しく紹介したことがあるが、V&Aは世界最古にして最大のデザインミュージアムであり、恭しく絵画や彫刻を展示するばかりではなく、一部の作品を実際に手に取って確かめることのできるハンズオン式の展示など、デザインの理解を深めるための様々な手法が動員されている。多くの制約があったとはいえ、展覧会場内で飲食ができるような工夫もまた、この会場ならではのものだろう。

とはいえ、「Food」展もまた博物館の展示であったことには変わりなく、出品作品の取捨選択や展示方法は厳しく管理する必要があった。ロキ・フードラボの「ゲノム式美食」というコンセプトが象徴的だが、「食」もまたキュレーションの対象としての情報なのである。

ミラノ万博——課題解決型万博の「食」

最後に万国博覧会について考えてみたい。一八五一年のロンドンを皮切りに、欧米各国で多くの万博が開催されてきたが、海外旅行が大衆化し、世界各地の物産を目にする機会が増えたことによって開催の必然性が薄れ、第二次世界大戦後はしばしば「万博の時代は終わった」ことが強調されるなど、大きな曲がり角を迎えていた。アジア初の万博として当時史上最高の観客動員を記録した一九七〇年の大阪万博から、一九九二年のセビリア万博まで二〇年以上もの（現在の登録博に該当する一般博の）空白期間が生じたことは、万博を開催するに足る大義名分がなかなか見つからなかったことを物語っている。

危機感を抱いたＢＩＥが一九九四年に打ち出したのが、課題解決型万博への移行である。これは、一九七二年にローマクラブが『成長の限界』を発表し、このままでは一〇〇年以内に地球の成長は限界に達するとの提言をまとめたことや、同年に国連が「環境」と「開発」に関する最初の国際会議（通称ストックホルム会議）を開始したことなどを念頭に、今後の万博は開催にあたって社会問題への提言を前面に押し出そうという方針の転換であった。

課題解決型の万博にとって、環境問題が最もふさわしいテーマの一つであることは容易に想像がつく。それは、会場造成のために大規模な土木工事を行っていた以前の開発至上主義的な発想からは一八〇度の転換といっていい。方針転換後に初めて開催された一般博である二〇〇〇年のハノーバー万博は観客動員が低迷したものの、その後徐々にこの方針は浸透していく。第三章で言及したように、二〇〇五年の愛知万博のテーマは「自然の叡智」というエコロジーを前面に押し出したものであったし、二〇二五年開催予定の大阪・関西万博もまた「いのち輝く未来社会のデザイン」という高齢化社会を念頭に置いたテーマを掲げている。

ミラノが二〇一五年の万博招致に名乗りを上げたのは二〇〇六年のことであった。二一世紀の万博のテーマにふさわしい課題として、当初から一貫して「地球に食料を、生命にエネルギーを」（Feeding the Planet, Energy for Life）というテーマを掲げ、多くの国の賛同を得て二〇〇八年に招致にこぎ着けた。ミラノでの万博開催は一九〇六年以来一〇九年ぶりのことであり、会場として、市の北西部郊外のロー・フィエラ駅の最寄りに約一一〇ヘクタールの土地が確保された。万博は参加各国がパヴィリオンを構え、その中で特産の農産物を展示したり、レストランやカフェで自国の料理や酒を提供したりする「食の祭典」としての側面を持つ。しかし、「食」そのものをテーマに掲げた万博が開催されることになったのは、もちろんこのときが初めてであった。

一概に「食」といっても様々な側面がある。とりわけ万博のような巨大イベントの場合は、全体のテーマを支える複数のサブテーマが欠かせない。ミラノ万博では、以下の七つのサブテーマが設定された。いずれも、SDGsと深く関わるものばかりであるが、この枠組みの設定はどこか博物館の科学展示を彷彿とさせる。

「食料の安全、保全、品質のための科学技術」
「農業と生物多様性のための科学技術」
「農業食物サプライチェーンの革新」
「食育」
「より良い生活様式のための食」

「食と文化」
「食の協力と開発」

二〇一五年五月一日の開会式では、「食料、水、エネルギーを手に入れることができるのは基本的な人権である」ことをしたためた「ミラノ憲章」の原案が発表され、レンツィ首相（当時）がこれに署名した。

イタリアが「食」をテーマとした万博のホスト国としてふさわしいことは、大方の人が認めるところに違いない。中華料理、トルコ料理と並ぶ「世界三大料理」の地域代表の座こそ隣国のフランス料理に譲るものの、パスタやピザなどが広く普及するなど、イタリア料理は世界屈指の人気を誇るほか、酒に関しても、ワイン生産量は万博が開催された二〇一五年以降は世界一の座に君臨し続けている。一方で、メイン会場で日本にも進出しているEATALYという大手フードマーケットが二〇もの地域料理の店舗を構えていたことが象徴的なのだが、小国乱立の時代が長く統一国家の成立が遅かったイタリアは今でも地域ごとの独立意識が強く、それは「食」にも及んでいる。例えば、会場のあるミラノ（ロンバルディア州）では、ローマ（ラツィオ州）、ナポリ（カンパーニャ州）、ヴェニス（ヴェネト州）など国内の他地域の料理が外国料理のように受容されることが多く、他地域でも同様の現象が見られるという。

それもあってか、ミラノをはじめとするイタリアの諸都市に外国料理のレストランは意外と少なく、「食」の国際化を訴える意見もあったとのこと。加えて、万博が開催される二〇一五年は国連で二〇〇〇年に採択されたミレニアム開発目標の一つである「貧困と飢餓を根絶する」の達成期限であり、それと関連してローマに拠点を置く国連食糧農業機関（FAO）は世界の飢餓の問題に対して継続的に提言を行っていた（貧困と飢餓の解消はまた、SDGsの一七の目標のうちの二つでもある）。ミラノが二〇一五年の万博招致に際して、一貫して「食」を前面に掲げる方針で臨んだのは、こうした諸々の背景があってのことであろう。

ミラノ万博の参加国・地域・国際機関は総計一四八で、うち五二カ国と複数の国際機関や企業が単独パヴィリオンを構えていた。二〇一五年八月下旬にミラノに滞在した私は三日連続で会場を訪れ、全体の約八割のパヴィリオンへと足を運び、多くの料理や酒を楽しんだ。会場は地球最大の食堂に見立てられ、会期中に約二六〇〇万食の料理がふるまわれることが想定されていたという。レストランに三〇〇席を用意したフランス館、タパス・バーを設えたスペイン館、多数のワインを常備したチリ館など多くの国が力のこもった展示を行い、発展途上国の小規模な展示や食にも興味深いものが少なくなかったが、もちろんここでそのすべてを網羅することは不可能なので、ホスト国であったイタリア館と日本館のほか、二つほど気になったパヴィリオンの展示を紹介することにしたい。

SDGsと「食」——万博パヴィリオンのキュレーション

会場の要の位置に建てられたイタリア館(Palazzo Italia)は群を抜いて巨大であり、広い会場内でも一際目立つ。イタリア館のテーマは「VIVAIO ITALIA」(イタリアの苗床)。このテーマは次世代に「食」の可能性を伝えていくことを意図したもので、それに対応してか、原料に大理石の廃棄片を用いたモルタルで作られた白いパヴィリオンは、巨大な鳥の巣のような構造となっていた。館内では、イタリアの食と農業の歴史を「知」「美」「限界」「未来」という四つの「力」の観点から紹介する展示が行われていた。万博に先立つこと五年前、二〇一〇年にはイタリアをはじめとする地中海沿岸諸国(他にギリシャ、スペイン、モロッコ。二〇一三年にポルトガル、クロアチア、キプロスが追加)の食文化が、「穀類、魚類、その保全・加工・消費に関わる風景から食事に至る技術、知識、習慣及び伝統に基づく社会的慣習。魚介類、穀類、乳製品、野菜、果物類等をバランス良くとり、油脂分は肉類を少量、オリーブオイルを中心として摂取するもの。本料理には、コミュニティの健康、生活の質、より良い生活に資するもので、適量のワインを交えながら、ゆっくりとコミュニケーションする食事スタイルを含む」（農林水産省HP）という観点から世界無形文化遺産に登録されている。

パヴィリオンの展示は、イタリアの有識者が「食」の可能性を語るプロジェクションマッピングの映像を展開するなど、その評価を踏まえつつ、よりイタリアの地域性、固有性を意識したものとなっていた。会期中にイタリア館で行われた教育目的のワークショップに参加した中高生は一万一〇〇〇人に達したという。ワイナリーには約二四〇〇種ものイタリアワインが揃えられていて、気に入ったものをいくつかテイスティングできるサービスが提供されていた。

イタリア館の隣には万博のシンボルタワーでもある「生命の樹《き》」が立っていたが、これは一七～一八世紀にイギリスの裕福な貴族の子弟が、学業を終える際に行ったイタリア旅行の通称である「グランド・ツアー」の終着点を象徴するものであるという。「グランド・ツアー」は多くの美術作品や古代遺跡を見て見聞を広めることが主な目的であったが、「食」もその対象であったに違いない。

一方、日本館は、木材を組み合わせた格子状の構造が印象的なパヴィリオンであった。私が現地を訪れた八月下旬は既に会期の後半に差し掛かっていたこともあり、入館まで約三時間半、さらにその後も展示を見るまでに館内で三〇分以上待たされる羽目になった。総来場者数

ミラノ万博のシンボル「生命の樹」

は二二八万人で、最も混雑した日の待ち時間は約九時間にも達したという。日本館のテーマは「Harmonious Diversity—共存する多様性—」。日本の食や日本人の食に対する精神を伝統とテクノロジーの融合によって表現しようとした展示で、「一汁三菜」「出汁《だし》」「うまみ」(これらの言葉は、いずれも適切な訳語がなかったようである)などのテーマと食材を組み合わせた壁面展示や、チームラボの制作した映像が大きな効果を上げていた。

館内に出店していたレストランは「美濃吉《みのきち》」(懐石)、「柿安」「人形町今半」(すき焼き・ステーキ)、「モスバーガー」(ハンバーガー)、「京樽《きょうたる》」(寿司)、「サガミ」(うどん・そば)、「壱番屋」(カレー)と、いずれも著名なチェーン店である。帰国してからでも食べる機会があるからと、私はこれらの店には立ち寄らなかったのだが、ある店では同じメニューであっても日本とは大きく味を変えるなど現地化《ローカライズ》の工夫にもぬかりなかったようだ。日本館のスローガンであった「いただきます、ごちそうさま、もったいない、おすそわけの日本精神が世界を救う」は、メインホールでサラウンドの映像と音響による効果的な演出が行われたこともあってか、海外メディアでも広く報道された。展示デザイン部門で金賞を獲得するなど、そのディスプレイは好評をもって迎えられた。

他国のパヴィリオンでは、カザフスタン館に強く興味をひかれた。ミラノ万博に参加した時点で、カザフスタンは二年後の二〇一七年に首都アスタナ（二〇一九年にヌルスルタンと改称）で万博（会期三カ月の認定博）開催を控えていたこともあり、ドイツの gtp2 アーキテクツが手掛けたパヴィリオンの造営や館内の展示にも自《おの》ずと力が入っていた。そうした意気込みは会場に詰めかけた観客にも伝わっており、パヴィリオンの前には長蛇の列ができていた。館内の展示は大きく六つに分かれており、前半では小麦や花の栽培の様子が紹介されていた。カザフスタンは世界有数の小麦や花の輸出国であるため、これらの展示にはショー・ウィンドーとしての役割も期待されていたのであろう。

後半の展示ではアラル海の環境問題に焦点を合わせていた。かつて世界第四位の湖沼面積を誇ったアラル海だが、旧ソ連時代の無計画な治水事業が原因で、半世紀で約一〇分の一にまで縮小し、周辺の農業や漁業は壊滅的な打撃を受けた。このパヴィリオンの展示では、現在も続いているアラル海の縮小の危機を訴えると同時に、いかにしてアラル海を保護するべきかという専門家の提言が詳しく紹介されていた。万博のテーマが「食」ということもあり、その提言は小麦の栽培やキャビアの原料であるチョウザメの漁獲なども関連付けられていたが、二年後のアスタナ博では「未来のエネルギー」をテーマに掲げていることもあり、展示の一部はエネルギー政策と関連する部分もあった。食料政策とエネルギー政策の間には共通点も多く、両者の関連に特に違和感は覚えなかった。

一方、小規模ながら強い印象を残したのがモルドバ館である。モルドバはルーマニアとウクライナの間に位置する人口約二七〇万人の小国で、言語的・文化的にはルーマニアとほぼ同一といってよいが、かつてはロシアやトルコの支配を受け、また旧ソ連の一五の共和国の一つとなるなど、複雑な歴史を有している。ミラノ博に独自パヴィリオンでの参加を決断したのも、国家としてのささやかな自己主張を意図してのことであろう。

モルドバ館は「Shine the Light」というテーマを掲げていた。「光を照らす」と直訳できるこの言葉には情報公開というニュアンスがあり（アメリカのカリフォルニア州では、情報公開の請求権を保証した法律を「シャイン・ザ・ライト法」と呼ぶ)、それを意識してか、パヴィリオンの開口部はガラス張りで館内が見える仕様となっていた。土壌の肥沃なモルドバでは多くの野菜や果物が栽培されているが、何といっても有名なのはぶどうであり、そのぶどうによって醸造されたワインは同国最大の輸出商品である。パヴィリオン内の棚には多くのワインが陳列され、商品のPRに余念がなかった。

国別パヴィリオン以外にも、興味深い試みが散見された。先に取り上げた、別会場で開催されていた「Arts & Foods」展もその一つだが、個人的には「クラスター」(集団)というエリアの展示に強く興味をひかれた。このエリアでは、「地中海の生命」「ココアとチョコレート」「コーヒー」「穀物と塊茎」「果物と野菜」「島、海と食料」「スパイス」「米」「乾燥地帯」という九つのクラスターが設けられ、それぞれ生産地やその生態系、現状の問題などについての展示が行われていた。これらの展示からも、「食」と「環境」の近しい関係が実感された。

本書では展覧会、なかでも美術展を主なキュレーションの対象として考察してきた。キュレーションとは個人単位の営為であり、一つの美術展への参加作家は数組から数十組、大規模な国際芸術祭であっても一〇〇組程度にとどまるので、優に一〇〇を超える数の国や国際機関が参加する万博が、考察の対象としてあまりに巨大すぎることは否定できない。そもそも各々のパヴィリオンの出展内容は各々の参加国や国際機関の裁量に委ねられているので、一人のキュレーターが全体を統率できるような性格のものではない。

だが、課題解決型へのシフトチェンジを図った一九九〇年代以降の万博には、規模の大小はともあれ、情報の取捨選択によって一つのイベントが特定の方向性を目指すという点で、多少なりともキュレーションという観点から取り上げ、考察しうる側面がある。『成長の限界』を経て、世界は変わった。もう満艦飾の時代には戻れない。今後は社会問題への提言に万博の意義を見出そう」。当時のBIEの幹部の判断は、恐らくそうした意識の下になされたはずであり、二〇一五年に国連総会でSDGsが採択され、社会、経済、環境に関わる一七の目標が設定されたことは、この判断の適切さを物語っているはずである。とはいえ、環境問題やエネルギー問題に特効薬などあるはずもなく、今後も当面は試行錯誤が続くだろう。情報の検索と取捨選択によって価値を作り出すキュレーションの技術は、課題解決型イベントとしての万博において、方向性を決定づける上でいよいよ重要な役割を担うことになるのではないだろうか。

第七章　「国策」のキュレーション

大ドイツ芸術展と退廃芸術展

キュレーションとは個人単位の営為である。どのように情報を検索し、検索した情報を取捨選択するのかはもっぱら個人の裁量に委ねられており、であればこそキュレーターは高い専門性を要求される職業とされており、優れた手腕の持ち主は高く評価される。本書の今までの議論も同様の前提に立ってきた。

だが本章では、従来とは視点を変えて「国策」についてのキュレーションを考えてみたい。こうした場合、展覧会のキュレーションの主体は特定の個人ではなく、国家（という集合体）であると考えることはできないだろうか。本章では、国家による「国策」のキュレーションについて、美術展を中心にいくつかの事例を取り上げながら考察してみたい。

「国策」による美術の称揚／弾圧ということで真っ先に思い起こされるのが、ナチスドイツにおける大ドイツ芸術展と退廃芸術展である。まず両者の概要を確認しておこう。

大ドイツ芸術展は、一九三七〜一九四四年の夏から秋にかけて、ミュンヘンの「ドイツ芸術の家」を舞台に、「真正のドイツ民族芸術」を展示することを目的に開催された展覧会である。出品作品の多くは、最高権力者であったヒトラーの好みを反映して、「美しいものを好ましく、壮大なものを崇高に」描いた作品であった。ジャンルとしては風景画、裸体画や農民画が多くを占めたが、戦争が本格化する戦時色を反映してか、やがて戦争画が多くを占めるようになった。建築に関しても、ヒトラー好みの新古典主義を称揚する展示が行われた。一九三七年の第一回展では、三カ月間の会期を通じて、約七〇万人の観客が詰めかけたという。だが後述するように、この展覧会にはこれといって重要な意義を見出すことが難しい。

もう一方の退廃芸術展は、一九三七年七月一九日から約四カ月間にわたって開催された展覧会である。この展覧会が開幕したのは大ドイツ芸術展開幕の翌日であり、会場のミュンヘン大学付属考古学研究所も「ドイツ芸術の家」の最寄りに位置しており、両者を対比させる意図があることは明白だった。この会場はもともと石膏《せっこう》模型置き場で、美術作品の展示には不向きな環境であり、無造作に壁に掛けられた絵画に悪意に満ちたキャプションを添えて展示するなど、ぞんざいな扱いによって作品の価値を棄損しようとする意図が明らかだった。

二階から始まる会場の構成は以下の通りである。第一室の入り口には観客を驚かせるかのように巨大なキリストの磔刑《たっけい》彫刻が待ち構え、室内には宗教の冒瀆《ぼうとく》をテーマとした絵画が並んでいた。第二室はシャガールをはじめとするユダヤ人画家の作品が展示されていた。第三室は表現主義やダダや新即物主義の作品が並べられ、ドイツ女性蔑視や軍人蔑視、黒人至上主義などいくつかのテーマに分けて展示された。第四室以降にはこれといったテーマは設けられていないが、第五室にはロットルフらの絵画が「狂気や病んだ精神の見た風景」などといった煽《あお》り文句とともに展示され、第六室の展示作品には煽り文句の代わりに、購入金額と美術館名が淡々と併記されていた（その金額は第一次世界大戦敗戦直後の超インフレ時のもので、「こんな作品にこんな高値が付くなんてけしからん」という観客の非難を誘導する意図が明らかだった）ほか、部屋の中心にはレームブルックの「大きな跪《ひざまず》く女」が設置されていた。第七室は美術大学の教授職を追放された作家の作品が展示され、彼らがドイツの美術教育に関わっていたことを非難していた。一階の展示は詳細な記録が残っておらず不明な点が多いが、二階と同じ傾向の展示が行われていたことは想像に難くない。なお会期途中でムンクの作品が撤去されたが、これは作家の出身国であるノルウェーからの抗議があったためではないかと推測される。

よく知られているように、ヒトラーには青年時代にウィーン芸術アカデミーへの入学を熱望しながら果たせなかった過去がある。独裁者に上り詰めた後年、彼は自らの趣味を前面に押し出すようになったが、「大ドイツ芸術」に代表される新古典主義的な美術や建築を愛好する半面、モダニズム美術や前衛美術を激しく嫌悪するなど、青年時代の蹉跌《さてつ》は彼の趣味にも暗い影を落としていた。「退廃芸術」とは、ヒトラーが嫌悪した芸術全般、及びそれらを排斥しようとする文化政策に対して与えられた名前だったといってよい。

ヒトラーの芸術観や文化政策の根拠となったのが、脳の中枢を侵された芸術家は退廃した近代社会の犠牲者であるとして、印象派、象徴派、唯美主義などを厳しく批判したマックス・ノルダウの著書『退廃』（一八九二～一八九三）であった。ノルダウはユダヤ人であったが、皮肉なことにその思想がナチスのユダヤ人排斥に利用されることとなったのである。

ノルダウの思想をナチスの文化政策へと援用したのが、幹部の一人であったアルフレート・ローゼンベルクであった。ローゼンベルクは『二十世紀の神話』（一九三〇）で初めて「退廃」という言葉を使用し、モダニズム芸術や前衛芸術をまとめて批判した。その中には、分離派、青騎士、新即物主義、バウハウスなどの二〇世紀のドイツで興隆した重要な美術の動向が軒並み含まれていた。その芸術観に加え、ユダヤ人や東欧系の人間が数多く関わっていたことも理由であった。同じ幹部でも、宣伝大臣のヨゼフ・ゲッベルスは表現主義を愛好していたこともあって当初この方針に反対していたのだが、ヒトラーがローゼンベルクの方針を採用することを知って翻意し、「国策」としての「退廃芸術」批判の方向性が決定づけられる。

一九三三年に独裁的権力を手中にしたナチスはモダニズム芸術や前衛芸術を露骨に弾圧するようになり、多くの展覧会が中止に追い込まれ、作家の発表の機会が奪われた。だがそれだけ

大ドイツ芸術展を視察するヒトラーたち

では飽き足らないナチスは、多くのモダニズム美術や前衛美術に「退廃芸術」の烙印を押し、見せしめとしての展示を行おうとしたのである。同年にドレスデンで開かれたのを皮切りに、こうした趣旨の展示が各地で行われるようになる。

一九三七年六月、大ドイツ芸術展の準備が進む中、ゲッベルスは近隣会場でほぼ同じ日程で退廃芸術展を開催することを思いつき、ヒトラーの了承を得る。ゲッベルスは五人の委員会を結成し、国内の美術館から一九一〇年以降の「退廃芸術」を大量に押収した（その数、絵画約五〇〇〇点、版画約一万二〇〇〇点とされる）。作品のジャンルは新即物主義、表現主義、幾何学抽象などに及んだ。

ヒトラーは退廃芸術展の正式オープン前に一

退廃芸術展の展示風景。多くの絵画が二段掛けで展示されている

度会場を視察に訪れたが、会場にいたのは一〇分程度で、何を語ったかの記録も残されていない。他方、造形美術院総裁のアドルフ・ツィーグラーは、開会式で展示作品を一通り罵った後に「ドイツ国民よ来たれ！　そして自ら判断せよ」とスピーチを締めくくった。退廃芸術展は大きな反響を呼び、一一月三〇日までに同時開催の大ドイツ芸術展を大きく上回る二〇〇万人以上の観客を動員した。その後同展は一九四一年までにベルリン、ハンブルク、ウィーンなどの一三都市を巡回し、観客動員数は三〇〇万人以上に達したという。

対をなすはずの大ドイツ芸術展と退廃芸術展だが、動員数の大きな差が物語るように、多くの観客は後者により強い関心を示した。美術史的に重要な作品も後者の方が遥かに多く、あくまで資料からの類推だが、前者は大げさで退屈な印象を免れない。キュレーションという観点からいえば、前者はアーリア文化の称揚を、後者は前衛芸術やユダヤ文化の排斥を基準として作品の取捨選択がなされた展示だったが、過激な企画意図も相俟って、展覧会の強度は後者の方が遥かに勝っていた。

退廃芸術展はドイツ美術に深い爪痕を残し、戦後のドイツ美術界は失われた信用と名誉を回復するために長い年月と多大な労力を費やすことになった。今後も誤った「国策」に基づいた展示が、同様に多くの負債を残す事態を招かないとも限らない。一連の悲劇は、情報の取捨選択によって新たな価値を作り出すキュレーションという行為にとって、取捨選択の基準を誤ることがいかに危ういのかを物語っている。

紀元二千六百年奉祝美術展と植民地美術展

同時期の日本において、大ドイツ芸術展の位置を占める展覧会が「紀元二千六百年奉祝美術展」である。神武《じんむ》天皇の即位を元年とみなす紀年法を皇紀というが、一九四〇（昭和一五）年は皇紀にして紀元二千六百年の節目に相当するため、それを祝うための奉祝行事が数多く計画された。「紀元二千六百年奉祝美術展覧会」もその一環であり、同年秋に二期にわたって東京府美術館（現東京都美術館）で開催された。

同展の主催は文部省と紀元二千六百年奉祝会。一〇月一～二二日の前期には油画、水彩画、パステル画、創作版画（これらの日本画以外の絵画は、まとめて「洋画」とみなされた）、彫塑などが計九八九点、一一月三～二四日の後期には日本画と美術工芸が計八七〇点展示され、前後期合わせて三〇万人以上の観客を動員するなど、当時としては最大級の規模であった。出品作家に関しても、日本画では当時日本画壇の三巨頭と目されていた横山大観、竹内栖鳳《せいほう》、川合玉堂《ぎょくどう》の三人が揃って出品し、一方の洋画も当時洋画壇の頂点に位置していた梅原龍三郎、安井曾太《そうた》郎《ろう》、藤島武二らが揃って出品した。当時の画壇では、毎年秋に開催される新文部省美術展覧会（新文展／一九三七年に帝国美術院展覧会［帝展］より改称。現在の日展）を頂点とするヒエラルキーが形成されていたのだが、それを敢えて休止して同じ会場で開催された同展は、まさに画壇の総力を挙げた一大行事であった。

　では同展にキュレーションという視点を導入した場合には、いかなることがいえるだろうか。同展の開催意図は、奉祝という目的のために画壇の総力を結集することにあり、日本画壇、洋画壇を問わず「大御所」を総動員することが最優先された。作家の序列があらかじめ決まっている以上、主催者に作家作品の選択の余地はほとんどなかったといってよい。他方、企画という点で真っ先に指摘しておくべきなのが「和高洋低」とでも呼ぶべき傾向である。そのことは、「日本画」と「それ以外」という形で分けられた絵画の出品区分一つとっても明らかである。そうした主催者の意図は観客にも共有されていたらしく、開催期間がほぼ同じにもかかわらず、後期の観客動員数は前期の倍近くに達した。同様の傾向が、作品の評価に対しても指摘できる。

例えば横山大観は、同展に《日出 処日本《ひいづるところのにほん》》という大作を出品している。墨一色で描かれた霊峰富士の隣に深紅の旭日を配したこの作品は、奉祝という展覧会の意図に即していたこともあって、同展の展示を回顧した一九四一年版の『日本美術年鑑』で「筆技を超えた大観の雄作」「奉祝の誠意を吐露した作品」と絶賛された。実は大観は、当時最大級の展覧会であった新文展以上に規模の大きい展覧会を定例開催し、画家が国家の定めた画題に基づいて作品を発表する必要性を力説していた。《日出処日本》はそうした晴れがましい場にふさわしいものとして構想、制作された作品だったのである。

一方の洋画に対しては、梅原や安井ら大家の作品こそ例外的に称賛されているものの、全体に対しては「未《いま》だ全面的に吾が国独自の様式を樹立するに至らず」と手厳しい。幕末の開国以後に輸入された油画に由来する歴史の浅い洋画が「独自の様式を樹立するに至らず」なのは当然なのだが、そのことを意図的に無視して日本画を優位に位置づけたのは、奉祝という目的のために、日本独自の様式によってナショナリズムを表象することが何より優先されたことを物語っている。

元年が西暦よりも六六〇年も古い皇紀は日本の伝統を強調する上でうってつけであったが、法制化されたのは一八七二年と明治以後のことにすぎず、それ以前に奉祝行事が行われた史実も一切存在しない。また津田左右吉《そうきち》らによって、神武天皇の実在を疑問視する学説も既に世に問われていた。いうなれば「紀元二千六百年」は典型的な「創られた伝統」に他ならず、そのとってつけたような権威を補強するために、同展では、奉祝という意図に忠実な大観の作品が頂点に位置づけられ、その一方で海外の最新動向から影響を受けた前衛美術は一切排除されることとなった。当時の「国策」に照らして当然の判断だったといえる。

他方、日本では同時期のドイツの退廃芸術展に相当する展覧会は開催されなかった。代わりに、「国策」という観点から「紀元二千六百年奉祝美術展覧会」と対比してみたいのが、同時期の日本の植民地であった台湾、朝鮮、傀儡国家であった満州で開催されていた日本主導の官展であろう。一つずつ順に見ていこう。

朝鮮総督府は一九二二〜一九四四年の計二三回にわたって、「東洋画」「西洋画及彫刻」「書」

の三部門からなる「朝鮮美術展覧会」（朝鮮美展）を開催した（以後多少の変更を経て、一四回以降は「東洋画」「西洋画」「彫塑・工芸」）。朝鮮人のほか、一定の条件を満たした日本人にも出品資格が認められた。審査員は官展の審査員を務めていた日本人が主だったが、東洋画や書の部門には朝鮮人の審査員も含まれていた。展覧会の開催目的としては美術の発達を支援することが挙げられており、回を重ねるうちに、東洋画から伝統的な「四君子」が排除され、西洋画の影響を強く受けた日本画が主流となっていったことや、書が排除され、代わりに工芸が編入されるなどの変化が現れた。

台湾は朝鮮よりも早く植民地化されたが日本主導の美術展の開催は遅く、台湾教育会の主催という形で「台湾美術展覧会」が開始されたのは一九二七年のことであった。同展は一〇年連続で開催されたが、日中戦争の余波で一九三七年には開催されず、翌年から台湾総督府文教局の主催で再開される。主催者が異なるため、中断期間の前は台展、後は府展と呼ばれることが多い。「東洋画」「西洋画」の二部門体制は一貫していた。審査員は、第一回は在台湾の日本人美術家が務め、第二回以降は帝展関係者を中心に、日本画壇の有力作家が招かれた。台湾人の審査員はわずかに三人だった。

一九三一年の満州事変の後、一九三二年に日本の強い影響下に建国された満州国では、一九三八～一九四四年の七回にわたって「満洲国美術展覧会」（満展）が開催された。植民地であった朝鮮、台湾と異なり、実態はともかく、満州は建前上は独立国であったため、日本との関係は対等を装う必要があった。現地人及び一定の条件を満たした日本人に対して出品資格を認めることや日本主導の審査体制は朝鮮や台湾と同様であったが、「東洋画」「西洋画」「彫刻工芸」「法書」の四部門は最後まで不変であった。中国人の出品を促すべく、日本では美術の制度の埒外《らちがい》に置かれることの多かった書を最後まで残したのではないだろうか。

さて、朝鮮、台湾、満州における日本主導の官展に対して、「国策」のキュレーションという観点から、いかなることがいえるだろうか。この三つの官展はいずれも公募展であり、どのような作品が選ばれるのかは審査員の顔触れと審査基準に大きく左右された。すなわち、「国策」が強く反映されるのもその二点ということになる。

三つの官展には、気候風土や歴史が全く異質な三つの地域に、帝展や新文展を模した形式の公募展が等しく導入された。そのため審査員も日本人の有力作家が中心で、そこに少数の現地人作家が加わるという構成になっていた。朝鮮美展では日本人審査員はしきりに「地方色」「郷土色」の必要性を強調し、また台展や府展では当時「蕃人《ばんじん》」や「高砂族《たかさごぞく》」と呼ばれていた原住民族を画題とすることが求められたという。「五族協和」の理念の下に開催された満展においても、ローカルカラーの表出が強く求められたのは同様である。ここには、日本の主導の下に現地のローカルカラーを反映した作品を展示し、宗主としての「近代国家」日本と開発を待望する植民地という関係を固定しようとした（文化支配様式としての）オリエンタリズムの図式を見ることができる。

同様の意図は出品区分にも認められる。この三つの官展には、いずれも「東洋画」と「西洋画」という部門が設けられている。このうち「西洋画」は板や布のキャンバスに油絵具を塗布して描く油画とほぼ同義だが、一方の「東洋画」は多くの読者にとって耳慣れない言葉だろう。

国内の公募展に「東洋画」という区分は存在せず、「西洋画」と対置されるのはもっぱら「日本画」である。「日本画」という言葉からは日本に古くからある伝統的な絵画のスタイルが連想されるが、その実態は岩絵の具と膠《にかわ》を使って描くこと、日本に古くからある動植物や風景を画題とすることなど、西洋由来の油画を強く意識し、それとの徹底的な差別化の下に成立した、いたって人工的、近代的な絵画様式である。

その事実を踏まえると、他の東アジア諸国でも西洋の油画の移入に際して似通ったプロセスを辿ったことは想像に難くない。実際、中国美術には「中国画」、韓国美術には「韓国画」という区分が存在する。だが日本主導の官展では、これが「東洋画」にとって代わられる。ここで西洋画と対をなす関係にあるのは、現地の人々が油画との対比で確立した絵画様式ではなく、日本を経由する形で成立した「東洋画」なのだ。植民地経営という「国策」に沿ったその展覧会の方針は、搾取や疎外といったマルクス主義の用語によって説明できるように思われる。これ以上仔細《しさい》に触れる余裕はないが、第二次世界大戦前の植民地時代の官展が、キュレーションという観点からも興味深い対象であることは確かなようである。

Japan-ness / Japanorama

一転してごく最近の事例として、「Japan-ness」と「Japanorama」も紹介しておこう。この両者は、戦後の日本の建築と美術を紹介する展覧会で、タイトルからもわかるように明らかに対応関係にある。両者は二〇一七～二〇一八年のほぼ同時期に、フランスのポンピドゥー文化センター・メッス分館で開催された。私は二〇一八年の正月にこの二つの展覧会を見た。この二つの展覧会は、二〇一八年の夏からパリを中心に大々的に開催された日本政府の大規模文化事業「ジャポニスム２０１８：響きあう魂」の先鞭をつける役割も担っており、その点からも「国策」としての側面を有していた。

まず「Japan-ness」の方から見ていこう。「Japan-ness」は戦後七〇年の日本の建築を概観する展覧会であり、参加者は計一一八組、紹介されるプロジェクトは三〇〇に及ぶ大規模なもので、「1．破壊と再生　1945」「2．都市と国土　1945−1955」「3．近代日本建築の開花　1955−1965」「4．メタボリズム、1970年大阪万博、新たなヴィジョン　1965−1975」「5．消滅の建築　1975−1995」「6．露出オーバー、イマージュ、そして語り　1995−2017」の六部構成であった。

同展を企画したフレデリック・ミゲルはポンピドゥー文化センターのパリ国立近代美術館副館長兼建築部門のキュレーターだが、今回の企画担当者として抜擢されたのは、外国人の眼を通して日本の建築を相対化したいという意図に加え、彼が数年前に「ジャパン・アーキテクツ　1945−2010」展（金沢21世紀美術館、二〇一四〜二〇一五年）を企画したことも大きな理由だった。ミゲルが二つの展覧会のカタログに寄稿した序文は同一のものであり、両者が明らかな並行関係にあることがわかる。

古来、日本の建築は中国大陸の圧倒的な影響下に置かれてきた。他方、明治近代化以降の日本の建築を、西欧からの影響抜きに語ることはできない。戦後七〇年の建築史を概観するにあたって、この二つの影響の関係をどのように解釈すべきか腐心したミゲルは、序文で次のように述べている（以下、「Japan-ness」のカタログ所収の論考の訳文は「ジャパン・アーキテクツ　194

5−2010」展カタログによる）。

日本建築の起源を再構築するにあたっては、その母体となるモデルは、モダニズムに結び付けられた、最近の考案である。すなわち中国を参照しつつ西洋建築を引用するといった折衷文化を、否定するか超越するかのいずれかのモデルである。（中略）日本建築はこのように起源を繰り返し創出するうちに、伝統を無理にでも再構築しつつモダニティをたゆみなく吸収するという矛盾を抱えたまま、その歴史を確立していったのではないか。

またそれに対応させる形で、と自らの方法を以下のように説明している。

日本建築を読み取るには、したがって考究の流れが変わるたびにそれにどう適応していったかを、局面ごとに見ていくべきだろう。

その局面に対応するのが、前述の六部構成というわけだ。構成を見る限り、4には「メタボリズム」「大阪万博」「ポップ・アーキテクチャー」、5には「コンセプチュアルな探求」「コンセプチュアルな住宅」「建築機械」「安藤忠雄と槇文彦《まきふみひこ》」「ライト・アーキテクチャー」、6には「象徴的なプロジェクト」「同時代的実現」といったサブテーマが設けられるなど、後半の方がより細分化されている。ここでは4を見ておこう。

メタボリズムで提案された数々の都市計画や大阪万博における「エキスポタワー」「大屋根」及び数々のパヴィリオンなど、二つの動向に関わる重要な作品は一通り網羅されている。4の大きな特徴は、それ以後に台頭した新世代を「ポップ・アーキテクチャー」としてとらえていることだろう。このストーリーは、高度成長期から成熟社会へと移行したとされる日本で広く受容されている戦後のナショナル・ヒストリーとも一致しており、それに沿った展開は「国策」とも矛盾しない。

他方、1の「破壊と再生」で展示されているのは、渡辺義雄の写真「伊勢神宮」と磯崎新のコラージュ作品「ふたたび廃墟になったヒロシマ」の二点だけである。それにしても、タイトルそのままの「ふたたび廃墟になったヒロシマ」はともかく、「伊勢神宮」がここに配置されているのはなぜなのか。この展示の当事者でもある磯崎新は、カタログに収録されている論考で、三島由紀夫の『文化防衛論』を引用しつつ、以下のように述べている。

「コピー自体がオリジナルになる」システムが日本の天皇の保持されてきた文化的制度に潜んでいると言っている。20年ごとの伊勢の造替は、天皇の大嘗祭（即位式でもある）による次の天皇への天皇位の移譲と同様なやり方だと考えられる。

二〇年ごとに社殿を造り替える伊勢神宮の「式年遷宮」に、磯崎は天皇制との類似を見る。してみると、伊勢神宮の写真を展覧会の冒頭に位置づけたことは、ミゲルが戦後建築にも同様の構造を見ているということに他ならない。戦後が昭和天皇の「人間宣言」に始まったことを考えれば、この見立てには十分な説得力がある。戦後建築が展開されてきたのは、磯崎が呼ぶところの「わ（≠和）」空間だったのかもしれない。

一方、「Japanorama」は「Japan-ness」と同じ会場の上階で開催されていた現代美術の展覧会である。企画は長谷川祐子、展示デザインは妹島《せじま》和世。JAPANとPANORAMAを組み合わせたタイトルの同展は、一九七〇年以降の日本の現代美術を対象として、約一〇〇組の参加作家の約三五〇点の作品を「A：奇妙なオブジェクト／身体―ポスト・ヒューマン」「B：ポップ・アート―1980年代以前／以後」「C：協働／参加性／共有」「D：抵抗のポリティクス―ポエティクス」「E：浮遊する主体性／私的ドキュメンタリー」「F：物質の関係性／ミニマリズム」という六つの「島」に分けて展示する試みであった。

まず気になるのが、展覧会の起点が一九七〇年となっていることである。なぜ同時開催の「Japan-ness」同様に戦後すぐとしなかったのか。それには二つの理由が考えられる。

一つは、この展示がかつてパリのポンピドゥー文化センターで開催された「前衛芸術の日本１９１０−１９７０ Japon des avant-gardes 1910-1970」展（一九八六〜一九八七）を踏まえ、それ以後の展開を紹介することを意図して企画されたものだったことだ。同展は自国の主導によって日本の前衛美術を二〇世紀の近現代美術史に組み込もうとするフランスの「国策」色の強い展覧会であっただけに、同じく日本の「国策」としての側面を持つ「Japanorama」では、それに対するレスポンスとして一九七〇年以降の展開を示す必要があったのだろう。

もう一つが、展覧会の起点である一九七〇年が、大阪万博と「人間と物質」展が開催された二重の意味でエポックメーキングな年だったことだ。大阪万博の重要性はいわずもがなだが、一方の「人間と物質」展もまた、一般に広く知られているとはいいがたいものの、「もの派」や「日本概念派」といった重要な動向の飛躍のきっかけとなった展覧会として、日本の戦後美術の文脈においては長らく特権的に語られてきた。「Japanorama」では両者を等しく重視していたということだ。

時系列で編成されていた「Japan-ness」に対して、「Japanorama」の展示はコンセプト別であった。例えばAでは舞踏家・土方巽《ひじかたたつみ》の「肉体の叛乱《はんらん》」やYMO（Yellow Magic Orchestra）のレコードジャケットが、Bでは横尾忠則のポスターや村上隆の絵画が、Cではアトリエ・ワンやSANAAの建築が、Dでは奈良美智《よしとも》の絵画や石上《いしがみ》純也のオブジェが、Eには森山大道や荒木経惟《のぶよし》の写真が、Fではもの派の立体や杉本博司の写真が展示されていた。タイトルと作品の対応関係が明快なBやFに対してCやDはやや恣意的に感じられるものの、各エリアの展示には丁寧な解説が設けられていたほか、カタログには万博、現代写真、サブカルチャーなどの異分野の専門家のエッセイも採録されるなど、なぜこのようなコンセプトが設けられたのか、なぜこの作品がこの枠に配置されたのかなど、フランスの観客にも戦後の日本美術に特有の文脈が理解できるように配慮されていた。

企画者の長谷川は、フランスの美術館関係者から、「フランス人は〝かわいい〟と〝禅〟は知っているのでそれ以外のものを見せてほしい」と言われたため、日本の力を「ポップ」、「禅」を「簡潔さ」、そして「かわいい」を軽やかさ、儚《はかな》さや脆《もろ》さ、反語的な強さと言い換える展示を意図したと語っている。「かわいい」も「禅」も海外で日本文化が語られる際の常套句《じようとうく》だが、「国策」としての現代美術の展示には、そうしたステレオタイプをいかにして脱するかという問題意識も含まれていたに違いない。海外での「国策」展示には、日本特有の文脈を理解してもらう必要がある一方で、そのような工夫も必要なのだろう。

原子力が「夢のエネルギー」だった時代

もちろん、「国策」のキュレーションの対象となる領域は美術だけではなく、農業や工業などの各種産業政策や先端の科学技術なども含まれる。なかでも、確実に国論を二分する原子力政策の導入はその典型といえるだろう。日本は「唯一の被爆国」であり、当事者である広島や長崎はもとより、原発の建設計画が発表されると決まって反対運動が起こるなど、原子力には他の地域でも抜きがたい不信感がある。にもかかわらず、日本に多くの原発が建設される結果となったのは、もともと資源に乏しく選択肢が限られていたエネルギー政策上の問題に加え、原子力の利用の推進をテーマとした博覧会によるプロモーションの効果が大きかった。これはまさしく、本書のテーマであるキュレーションとも関わってくる問題である。

もともと軍事目的で開発が進められていた核エネルギーの民生転用が本格的に進められるようになったのは一九五三年一二月、ときのアメリカ大統領ドワイト・アイゼンハワーが国連総会で「Atoms for peace」を提唱したのがきっかけである。化石燃料の資源枯渇や大量の排ガスによる環境汚染を問題視する意見は当時から既に存在したし、技術開発が進み、わずかな資源で大量の電力を供給することのできる原子力発電が普及すれば、資源枯渇や環境汚染といった問題が一気に解消されるのではないか。「夢のエネルギー」への期待は一躍高まった。

アイゼンハワーの「Atoms for peace」は、自国ばかりでなく西側全域を対象としたものであり、とりわけ日本は東アジアの重要な拠点である一方で大半の化石燃料を輸入に頼っているエネルギー事情も手伝って、格好のプロモーション・ターゲットであった。だが日本には既に述べたような事情に基づく反原子力感情が根強かったため、原子力政策の推進には困難が予想された。

そうした状況下で暗躍したのが、一九五四年に読売新聞社社主となった正力《しょうりき》松太郎であった。正力は「原発の父」の異名を持ち、高度成長期には自社メディアでさかんに原発の必要性を訴えてきた人物だが、近年アメリカで公開された公文書の研究が進んだ結果、その言動がCIA（アメリカ中央情報局）の意を受けてのものであったことが明らかになっている。正力はCIAから「ポダム」というコードネームまで与えられていたというから、両者の親密な関係がうかがわれる。

アメリカの意を受ける形で、正力が中心的な役割を果たしたのが、一九五五年から開催された「原子力平和利用博覧会」であった。この博覧会は、同年一一～一二月に東京・日比谷で始まったのを皮切りに約二年の期間を通じて名古屋、京都、大阪、広島、福岡、札幌、仙台、水戸、岡山、高岡の全一一都市を巡回し、総計約二六〇万人もの観客を動員した。同年一〇月二六日付の「読売新聞」の記事によると、同展の展示の内容は以下の通りである。

第一部　原子科学の先覚者（湯川秀樹など一〇人の科学者の紹介）／第二部　映写室（原子の基礎知識及び原子力平和利用に関する映画の上映）／第三部　原子力の手引（原子炉模型やパネル展示）／第四部　黒鉛原子炉／第五部　電光式原子核連鎖反応解説装置／第六部　アイソトープの取扱い／第七部　モデル実験室／第八部　工業面のアイソトープ利用／第九部　医学面のアイソトープ利用／第十部　農業面のアイソトープ利用／第十一部　食料保存／第十二部　教育と研究／第十三部　動力（原子力列車と原子力発電所のジオラマなどの展示）／第十四部　ウラン鉱探査／第十五部　読書室

一見してわかるように、この展示では原子力の民生利用が様々な角度から取り上げられ、「夢のエネルギー」のバラ色の未来がこれでもかとばかりに強調されている。半面、この展示では核兵器や原子力潜水艦などの軍事利用や広島・長崎の惨禍、使用済み核燃料の後処理、廃炉に要する長い年月、放射能による環境汚染といった核のマイナス面には一切触れられていない。この展覧会の様子を記録した映画をアメリカの公文書館で見たという有馬哲夫は、登場人物の表情や視線が明らかに演技であったことを指摘している。当時日本のニュース番組を通じてしばしば放映されたというこの映画は、ドキュメンタリーと銘打っているが、その実態は明らかに博覧会の宣伝のためのフィクションだったのである。

ではその宣伝にはいかほどの効果があったのか。CIAは来場者のアンケートを行い、博覧会を見た前後で彼らの意識にどのような変化があったのかを分析していた。その結果は以下の通りである（有馬哲夫『原発・正力・CIA』）。

（1）生きているうちに原子力から恩恵を被ることができると考える人
七六％から八七％へ増加
（2）日本が本格的に原子力利用の研究を進めることに賛成な人
七六％から八五％へ増加
（3）アメリカが原子力平和利用で長足の進歩を遂げたと思う人

五一％から七一％に増加。これに対しソ連の原子力平和利用については一九％から九％に減少

（4）アメリカが心から日本と原子力のノウハウを共有したがっていると信じる人四一％から五三％に増加

前後を比較すると、いずれの項目も原子力についての印象が大きく好転していることがわかる。特に、アメリカの原子力利用の印象が大きく向上した半面、ソ連のそれが大きく低下したことを示す（3）は、米ソ冷戦構造下の当時の時勢にあって世論をアメリカ寄りに誘導しようとしていた主催者の目論見通りだったといえるだろう。「Atoms for peace」の掛け声の下、アメリカはこの種の博覧会を同時期の西側各国で催していたが、「唯一の被爆国」である日本での博覧会の成功は、アメリカの核戦略にとっても大きな意味を持っていた。

いうまでもなく、「唯一の被爆国」である日本が、その核爆弾を投下したアメリカの核戦略を進んで受け入れることは「大いなる自己矛盾」を孕んでいる。そこに着目した社会人類学者の内山田康は以下のように指摘する。

> グローバルな核廃絶は、普遍的な人間性を基礎とする絶対的な平和の理念に基づいた思想だ（Lefort 1992）。しかし「唯一の被曝《ママ》国」としての日本の経験を強調する立場にとって、人類の共通基盤は不要だ。むしろ、この唯一性は日本の特殊性の印なのだ。この政治的な想像力においては、核兵器によって地球上のあらゆる生活圏が破壊され被曝《ママ》する可能性が抑圧される一方で、核兵器の抑止力が普遍性を付与され、平和と安全の主役になろうとしている。アメリカの核兵器が（全人類の平和と安全ではなく）日本の平和と安全を保証してくれると期待するのだ。
>
> 核の軍事利用と核の平和利用の区別はなくなっている。それは同じ技術として誕生し、使用済み核燃料の再処理の過程で共生を始める。これは原子力開発の本質的な問題だ。
>
> （『原子力の人類学』）

結果論だが、この博覧会の成功も日本人の核に対する「大いなる自己矛盾」の形成に一役買ったことになるのだろう。

ちなみに正力は、開会式のスピーチで「アメリカ側の絶大なる指導と協力」を強調し、自らがいわばアメリカの対日工作活動の一翼を担っていたことを公言すると同時に、博覧会が予想以上の成功を収めると、ことあるごとに自分が読売グループを動かして博覧会を成功に導いたことを強調したため、アメリカ側の不興を買ったともいわれる。また吉見俊哉《しゅんや》は、全国各地を巡回したこの博覧会が、地域によっては朝日新聞や中日新聞など読売以外の新聞社によっても主催されていた事実に注目し、「原子力の夢」が短期間のうちに日本全国に浸透したことを指摘している。全国各地を巡回した「原子力平和利用博覧会」が日本人の核に対する意識を反転させることに成功したのだとしたら、それは原子力についてのポジティヴな情報を選って展示する一方、ネガティヴな情報は徹底的に隠蔽した、巧妙な情報操作のためでもあったのではないだろうか。

万博における原爆の被害展示

一方、原爆の被害といえば原子力のネガティヴなイメージの最たるものだが、驚いたことに実は「国策」によって原爆の被害が展示されたことがある。しかも、万国博覧会の日本館パヴィリオンがその会場だったというのだから二重に驚かざるを得ない。

日本館パヴィリオンにおいて原爆に関する展示が初めて行われたのは、一九五八年のブリュッセル万博においてであった。海外の万博に参加するにあたって、戦前の日本は伝統工芸を主体とする展示を行ってきた。これは明治政府が推進した殖産興業政策の一環として、伝統工芸の輸出を促進することが大きな目的であったが、第二次世界大戦後初の大規模な万博に参加するにあたり、日本政府は従来の方針を大きく転換し、最新技術などを前面に押し出そうとしたのである。日本館パヴィリオンは「歴史」「産業」「生活」の三つのパートによって構成されていたのだが、会場風景を見ると、第二部「産業」で展示された数十点の写真の中には、造船や発電所といった産業施設や景勝地の航空写真のほか、広島に原爆が投下された際の写真も交じっていることがはっきりと確認できる。

ブリュッセル万博は「科学文明とヒューマニズム」をテーマとし、原子模型を彷彿とさせるシンボルタワー「アトミウム」が建てられた万博である。一方、当時の日本は前年に茨城県東海村の日本原子力研究所（現日本原子力研究開発機構）に導入されたアメリカ製の研究炉が臨界に達したばかりで、万博で紹介できるような日本独自の原子力技術は何もない状態であった。以上裏付けとなる資料がないのであくまで憶測にすぎないが、原子力の紹介が期待される中、このような状況から消去法で原爆の写真が選択されたように思われる。

次に日本館パヴィリオンで原爆に関する展示が行われたのが、一九七〇年の大阪万博においてであった。半世紀前に開催されたこの未曽有の国家事業は、会場の電力供給を担当していた関西電力が「万博に原子の灯《ひ》を」というスローガンを掲げ、万博開幕と同じ三月一四日に敦賀《つるが》原発の営業運転を開始したことによっても知られている。この史上初めての「原発万博」において、ホスト国である日本のパヴィリオンでは、核エネルギーを主題とする「原子の塔」という展示が行われた。これは、「かなしみの塔」「よろこびの塔」という二対の円筒形の塔からなっていて、塔の内部には河野鷹思《こうのたかし》の制作した巨大なタペストリーが張り巡らされていた。大阪万博の日本館パヴィリオンは五つの石油タンクのような展示室によって構成されていたが、このタペストリーは「日本の科学技術」と題する四号館で、リニアモーターカーの技術と併せて展示されていた。先端の科学技術を展示するはずのパヴィリオンで、なぜこのような展示が行われたのだろうか。

『万博学』に寄せた論考で有賀暢迪《のぶみち》が詳しく紹介しているが、日本館パヴィリオンにおける原爆の被害の展示案が浮上したのは一九六七年八〜一〇月に三回にわたって開かれた政府出展懇談会においてである。第二回会議の席上、産業界から原子力の開発について取り上げるべきとの意見が出たが、茅《かや》誠司前東大総長（当時）が現在の原子力技術はすべて外国製のため、日本館で見せられるものは何もないと難色を示した。その後、第三回会議で懇談会のメンバーであった五島昇《ごとうのぼる》、有吉佐和子、吉永小百合らが「原爆の被害を取り上げるのはどうか」と提案し、通商産業省（現経済産業省）もその方向での検討を約束したという。その後の議論は詳《つまび》らかにしないが、日本館で原爆に関する展示が行われることが明らかになったのは一九六九年三月のことであった。この展示の代表者であった河野は、戦時中に対外広報宣伝誌「NIPPON」の表紙デザインを担当し、戦後は日本宣伝美術会などで活躍した、当時の日本を代表するグラフィックデザイナーの一人である。大阪万博では日本館パヴィリオンの展示デザイン責任者を務めており、人選自体はごく順当であったといってよい。

二つのタペストリーは、いずれも縦九・二メートル、横一九・二メートルの横長の画面に描かれている。「よろこびの塔」は燃え盛る日輪の輪が白と橙《だいだい》で表現されている。一方の「かなしみの塔」の背景は赤と黒で、ほぼ左右対称の構図の中央に白黒で描かれたキノコ雲が湧き上がっていて、その奥には原爆ドームらしい建物の影が映っている。両脇に原爆の被害を連想させる激しい筆触の後が見られるものの、図柄は全般に抽象的で、原爆のイメージを強く喚起するものとはいいがたい。このタペストリーの制作にあたっては、事前に原爆の被害をテーマとした海外の先行作品の調査が行われ、フランスのジャン・リュルサの「世界の歌」という連作の存在がクローズアップされていた。河野が「よろこびの塔」と「かなしみの塔」を制作するにあたって、「世界の歌」を大いに参考としていたことは間違いない。

大阪万博終了後、長らく非公開のまま保管されていたというこのタペストリーを、私は二〇〇九年に国立科学博物館で開催された「1970年大阪万博の軌跡　2009in東京」展で見て、大いに面食らったものだ。実際、万博開幕の直前に行われた懇談会メンバーによる見学会では、「『原爆の悲惨さがすこしもつたわってこない』と、日本館側に再検討を求めた」（「毎日新聞」一九七〇年三月五日）ものの、館側が時間不足を理由にこれを固辞した逸話が残っている。当の河野は「原爆展示のデザインがむずかしいとは初めから覚悟していたが、あれほどタブーや注文があるとは考えてもみなかった。結果的に、リアルな表現がおさえられて〝半具象〟表現になったが、そのなかで私なりに苦心して原爆被災の悲惨さを表現したつもりだ」（日本万国博覧会記念公園事務所資料）とコメントしており、詳細は不明だが、タペストリーの制作にあたって様々な雑音に悩まされたことを仄《ほの》めかしている。

「原子力平和利用博覧会」は、建前上は読売新聞などの新聞社が主催した民営の博覧会である。だがその背景を踏まえれば、この博覧会が当時の政府の原子力政策をそっくりそのまま代弁する性格のものであったことは一目瞭然であり、博覧会で何を展示すべきか（排除すべきか）という情報の取捨選択は、もっぱら国民の原子力に対する意識を原子力政策に即した方向に誘導することを目的に実行され、一定の成功を収めた。

対照的に、ブリュッセル万博や大阪万博の日本館における原爆の被害の展示は、原子力をテーマとした展示が待望される中、当時の日本の原子力技術は対外的に広く紹介できる水準に達していなかったため、やむなく消去法で選択されたことがうかがわれる。もちろん展示にあたっては、観客に不快感を与えないのは当然として、原子力の平和利用を強調することや、国の原子力政策や諸外国、とりわけアメリカとの関係に悪影響を及ぼさないための配慮が不可欠であった。原子力の平和利用の展示と原爆の被害の展示は原子力をめぐるポジとネガのような関係にあるといってよいが、それはどちらも本章でいう「国策」のキュレーションの成果そのものだったのである。

伝承館と廃炉館

現在の日本において核をめぐる喫緊の課題といえば、やはり「三・一一」で被災した福島第一・第二原発の廃炉問題だろう。その問題を「国策」のキュレーションという観点から考えるにあたって好適なのが、現場近くに立つ二つのミュージアムである。

二〇二〇年九月二〇日、福島第一原発から北約四キロに位置する福島県双葉町《ふたばまち》中野地区に「東日本大震災・原子力災害伝承館」が開館した。「三・一一」を後世に語り継ぐことを目的とした伝承館という施設は既にいくつか存在するが、双葉町の伝承館は規模が大きいことに加え、原発事故に関する展示に注力していることが特徴だ。一〇月最初の週末、私は早速現場に足を運んでみた。

展示はプロローグ映像の上映から始まる。七面の巨大スクリーンを活用して震災前の地域生活や地震、津波、原子力事故の発生、住民避難、復興への足取りを紹介する映像は、五分前後と短いが迫力に満ちている。

映像を見終えた観客は、螺旋《らせん》状のスロープを辿って二階の展示スペースへと向かう。スロープの壁には、福島第一原発の建設工事が始まった一九六七年から現在に至るまでの出来事が詳細な年表によって紹介されている。

二階の展示は「災害の始まり」「原子力発電所事故直後の対応」「県民の想《おも》い」「長期化する原子力災害の影響」「復興への挑戦」の五部構成となっている。いずれのコーナーも展示物は豊富だが、原発事故の様子をわかりやすく伝える福島第一原発の精巧なジオラマや、瓦礫《がれき》の中から見つかった品々や避難所で活用された設備などからなる約一五〇点の資料（福島県が所蔵する資料は総計約二四万点に及ぶという）などが印象的だった半面、一部の資料がマスキングされていたのは残念だった。

伝承館が隣接する双葉町産業交流センターと並んで立つ中野地区は、二〇二〇年三月に避難指示が解除されたばかりの地域である。他にこれといった建物のないだだっ広い平野と、忽然《こつぜん》と出現した最新鋭の施設との対照は、あたかも工事途中の未来都市のようだった。また常磐《じようばん》線《せん》が全線営業を再開したばかりの双葉駅周辺の住宅や店舗は私が訪れた時点ですべて無人のまで、震災と原発事故のもたらした被害の甚大さを今さらながらに実感させられた。

一方、福島第一原発から南約一〇キロの富岡町《とみおかまち》に位置するのが東京電力廃炉資料館である。同館はもともとエネルギー館という福島第二原発のPR用施設だったのだが（教会のような外観は、アインシュタイン、キュリー夫人、エジソンの生家をモデルにしたとのこと）、第一原発の事故を受けて廃炉計画を伝える施設へと転用され、二〇一八年一一月に再オープンした。

エントランスの壁には「私たちは、事故の反省と教訓を決して忘れることなく後世に残し、廃炉と復興をやり通す覚悟をもって『東京電力廃炉資料館』を運営してまいります」という東電の社長メッセージが記されている。プロローグ映像から始まるのは伝承館と同様だが、壁面に加えて床面も活用した映像展示はより立体的で、原子力被害や廃炉に関する情報もより詳細である。

「記憶と記録・反省と教訓」と題された二階の展示は全部で一〇のコーナーに分かれ、事故の被害や事故後の対応が映像（いずれも五～一〇分前後で、日英いずれかの言語を選択できる）やジオラマを交えた展示で紹介されており、第一原発と第二原発の被害が明暗を分けた理由の説明はとりわけ詳細だ。また、中央制御室を再現した映像や地震が発生した午後二時四六分で静止した「3・11時のオブジェ」は強烈なインパクトを残す。

「廃炉現場の姿」と題された一階の展示は、当然ながら廃炉がメインであり、汚染水対策、燃料取り出し、廃棄物処理などの展示を交えつつ、廃炉へのロードマップが紹介されている。とはいえ、日本はもちろん世界的規模で見渡してみても、廃炉までこぎ着けた原子炉はごくわずかしかなく、道のりの遠さが実感される。二つの原発の計一〇基の原子炉すべての廃炉を完了するには今後三〇～四〇年を要するとのことだが、核燃料の取り出しや汚染水対策は当初の予定通りには進んでおらず、さらなる遅延が懸念される。

以上の二館の展示に対して、「国策」のキュレーションという点からは何を指摘することができるだろうか。まず気になったのが、「口演」に対する圧力である。伝承館の館内には、被災者が語り部として自らの体験を来館者に伝える「口演」用のブースが設けられているのだが、開館して間もなく、語り部に対して国や東電を含めた「特定の団体」への批判を禁じたマニュアルの存在が明らかになった。被災体験への思いは人それぞれだろうが、事実を違えない限り何を語るかは基本的に各人の裁量に任せるべきことであり、ここに「国策」の介入する余地などないのではないか。語り部の多くは六〇代、七〇代の高齢者によって占められており、自らの体験を後世に語り伝えたいという思いは痛切なはずだ。私の在館時に「口演」は実施されておらず、語り部の肉声を聞く機会がなかったことは残念であった。会場の展示では天災の側面が強調される半面、事故原因の検証が一切なされていなかったこともまた、この問題とリンクしているのかもしれない。

一方、廃炉館では、エントランスのメッセージに代表される東電の「反省」が館内のあちこちで繰り返されているのがやや目障りだった。もちろん率直に自らの非を認めて反省の意を示していること自体は評価に値するが、それで甚大な被害をもたらした事故が免責されるわけではないし、何より同館の展示があくまで事故を起こした東電の視点によって構成されていることを忘れてはなるまい。被災者の視点に立った場合、同館の展示は現状とは全く異なるものとなるだろう。また廃炉に至るプロセスの詳細な展示を見ていて、この展示があくまで福島の二つの原発に限定されていて、他の原発の廃炉の予定などについてほとんど説明がないことも気になった。今後の国家の原子力政策に関わる展示は、福島の廃炉に特化した同館の役割を逸脱することとなのかもしれないが、同館の来館者の多くが最も気に掛ける点でもあるため、最低限の指針くらいは示す必要があるように思う。

被災した二つの原発を擁する福島県の海岸地帯は浜通りと呼ばれるが、現在この地域の産業基盤の整備を目的とした「福島イノベーション・コースト構想」という地域復興プロジェクトが提唱されている。ドローンなどのロボット産業、リサイクル事業、航空宇宙産業などその内容は盛り沢山だが、そのすべては中核事業である廃炉の終了が前提のはずである。廃炉を無事に終了しない限りは、今後の環境政策やエネルギー政策に道筋をつけられないし、一見バラ色の地域復興も絵に描いた餅に終わってしまうだろう。原子力が「夢のエネルギー」であった時代は既に過去のものである。二つの館には、廃炉までの道のりやそのための課題について、現実に即したより詳細な展示を期待したい。

「国策」と「個」の折衝

本章の前半で扱った戦時中のドイツや日本の大規模な美術展示はプロパガンダの一言に集約できるものであり、他方その後で扱った現代の日本が海外で展開する諸分野の展示は、クール・ジャパンというフレーズなどに象徴される知財戦略としての側面を強く持つ。さらに後半で言及した原子力平和利用博覧会は明らかに世論の誘導を目的としたものであった。この三者は内容も目的も三者三様であり、本来同じ章節で論じるような性格のものではないのだが、いずれも「国策」に基づく展示であるという一点においてのみ共通しているため、ここで同一の地平で比較対照することとした。他にも、直接言及する機会はなかったが、国立博物館における「国史」の展示、（日本には存在しないが）戦史博物館における「正義の戦争」や「独立の神話」の展示、科学博物館における「国の自然」の展示等々、世の中を見渡すと「国策」に基づく展示が思いのほか多いことがわかる。一口に「国策」といっても、そこには幅広いグラデーションが存在するのだ。

繰り返すが、キュレーションとは本来個人単位の営為である。してみると、「国策」のキュレーションとは、個人の主義主張よりは国家の意向を優先して情報の取捨選択を行うことであるといえる。独裁国家におけるプロパガンダは論外としても、「国策」のキュレーションをすべて排除することはできないし、またその必要もないだろう。

その意味では、本章の中盤で挙げた現代建築と現代美術の事例は、展示を担当したキュレーターが、いかにして「国策」に沿いつつ自らの主義主張を展示の中に盛り込んだのかという点で大いに参考になるように思われる。分野を問わず、「国策」のキュレーションは、国を代表するという意味で名誉であると同時に、ある種の妥協を要求される局面の多い仕事でもあるだろう。「国策」と「個」の間で展開されるキュレーションは、ある意味では「折衝」の技術なのかもしれない。

終章　展覧会――情報処理としてのキュレーション

キュレーションのプロセスとは？

本書では、多くの事例を通じて「モノとしての情報」をいかにして展示して見せるのかを検討してきた。第一章〜第七章の各章の目次として掲げられた「価値」「文脈」「地域」「境界」「事故」「食」「国策」は、いずれもそれ自体としては実体のない抽象的な言葉だが、それぞれの言葉は現実のモノの展示と強く関連付けられている。もちろん、紙幅の都合で取り上げることはできなかったが、同様の関連付けが可能な言葉は他にも数多く存在するだろう。その展示は何をテーマとしたものであるか、会場はどのような空間であるか、その空間に展示されているモノは何であるか、そのモノの色や形状、素材は何であるか、それらのモノはどのような順路で構成されているか等々、私が今までに各章で行ってきたことは、いうなれば展示されたモノという非言語情報を文章という言語情報へと変換する作業であった。もちろんそれはキュレーションを念頭に置いてのことであったが、結果として、その作業の繰り返しを通じて「モノとしての情報」のニュアンスを強く打ち出すことができていれば幸いである。

そろそろ本書を締めくくらねばならないが、ここであらためてキュレーションの定義を確認しておこう。繰り返すが、キュレーションとは展覧会企画を意味する言葉である。美術作品を対象とした美術展であろうが、歴史資料や民族資料を対象とした博物展であろうが、恐竜や宇宙開発を対象としたサイエンス展であろうが、マンガ展やアニメ展であろうが、ジャンルは何であっても構わない。企画者が自身のアイデアをまとめ、モノが一堂に会した一つの展覧会が実現するとき、それに関わる様々な業務は等しくキュレーションとして総称される（はずである）。今までに各章で展開してきたのも、その様々なケース・スタディであった。

この終章では、まず多くのタイプの展覧会に共通する成立のプロセスを簡潔に要約し、そこにおいて情報の収集や取捨選択がいかにして行われているのかを見ていくことにする。展覧会を企画し、実現するまでのプロセスは多くの書物で紹介されているが、本章では、多くの類書の中でもとりわけ詳細かつ網羅的にそのプロセスが述べられているエイドリアン・ジョージの『THE CURATOR'S HANDBOOK』を絶えず参照して議論を進めていきたい。

プロセス（1）――企画立案

どんなタイプの展覧会であっても、企画者のアイデアがその出発点にあることに変わりはない。誰であれ、いつどのようなアイデアを思いつくのかはわからないが、少しでもその可能性を高めるためには、多くの本を読み、多くの展覧会を見るなどして、日常的により多くの情報に接する機会を作っておく以外には方法はない。もちろん、有益な情報は日本語だけではないので、外国語に習熟していた方がよいに決まっている。情報収集は、企画の前段階から既に重要であることを強調しておきたい。

とはいえ、いかに卓越したアイデアをひらめいたとしても、それが企画者の脳内にとどまり、言語として他者に伝達可能な状態へと変換されない限りはただの漠然とした思考でしかない。その意味では、ひらめいたアイデアを言語化・文書化すること、すなわち企画書を作成することこそが展覧会企画の出発点といえる（「盲者の記憶」展のデリダや「これから起きるかもしれないこと」展のヴィリリオの場合は、あくまでゲストということもあり、大半の実務は他者に委ねていただろうが、それでも核となるアイデアをまとめた企画書の提出だけは強く求められたはずである）。

では企画書にはどのような内容を記載すべきなのか。当然ながら、その内容は展覧会のタイプによっても、またその企画書をどこに提出するのか、誰を読者として想定するのかによっても大きく異なってくるし、書式や文字数の制約に従わねばならないこともあるだろう。ただどのようなタイプの展覧会であったとしても、そのアウトラインを示す上で最低限、タイトル、出品作品、会場、会期などの情報は必要であろう。

もちろん、企画者がある展覧会のアイデアをひらめいた瞬間、これらの情報をすべて同時に思いつくことなどありえないので、様々なリサーチによって情報の収集や取捨選択を行い、漠然とした展覧会のアイデアを具体化していく必要がある。例えば「パラレル・ヴィジョン」展の場合、「アウトサイダー・アート」というカテゴリーに誰が該当し、また誰が該当しないのかを判断するのはかなり綿密な検討を必要としたはずである（しかもアメリカでは草間彌生が除外され、日本では組み込まれるなど、地域によって出品作家のラインナップが異なる結果となった）。

なかでも、展覧会の企画趣旨、開催意義は実現の可否を大きく左右するので、会議で出席者の了承を得るため、開催の可否を決定する権限を持つ者を説得するために、インパクトの強いキーワードを配するなどして説得力を高める工夫が求められる。

プロセスをより具体的に明示すべく、再び「パラレル・ヴィジョン」展を例に取って考えてみよう。展覧会の核である「アウトサイダー・アート」の検討を重ね、概要がある程度固まったら、企画者は出品作品のリスト作成に取り掛からなくてはならない。このリストは、作品の管理はもとより、所有者・権利者への貸出交渉、運送会社や保険会社との交渉などにも欠かせないものであるため正確を期す必要がある。

もちろん、博物資料や歴史資料など、美術作品以外の展示品であっても、大まかな基本属性は共通している。一点一点の作品は木、石、金属などの物質でできたモノであるが、それと同時に個々に大量の非言語情報を含んだ媒体でもある。日本民藝館のようにキャプションに必要最小限の文字情報しか載せない展示方針の場合は、なおさらモノとしての情報をいかにして見せるかが重要となってくる。その意味で、詳細は後に触れるが、展覧会とはモノという非言語情報を展示公開する場でもあるといえるだろう。

プロセス（2）——交渉や作品の配置、演出

展覧会の概要が固まり、プレゼンが成功裏に終わったら、実現に向けて関係各所と交渉を行い、契約を締結することになる。交渉しなければならない事項は多岐にわたり、会場側とはいくつもの事項で合意に達しなければ展覧会を開催することはできない。

展覧会を開催するにあたって、会場側が最も神経を尖《とが》らせる事項の一つが観客動員数だろう。マスコミ各社や広告代理店が主導する商業施設での展示はもとより、近年はエンターテインメント色の薄い学術的な展示であっても、費用対効果の観点から観客動員数を気にする傾向が強い（実際、動員の不安を払拭できなかったために実現の機会を逸する展覧会企画は少なくない）。そのため、「前パブ」と呼ばれる開催前のパブリシティが重視される。近年、一部の展示作品や会場風景の撮影をＯＫとしている展覧会が増えたのも、来場者がＳＮＳに写真をアップすることに

よるパブリシティ効果に期待する面が大きいからだろう。いずれにせよ、どの展覧会がどの程度の観客を動員したのかというデータは、開催の可否の判断はもちろん、新しく展覧会を企画する上でも欠かせない。また単なる動員数だけではなく、来場者が多い時間帯、年齢層、男女比、満足度などについても詳細な調査が必要となる。

一方、展覧会を主催する主催者や鑑賞する観客の立場からすると大いに気になるのが、会場の演出や作品の配置である。多くの展覧会場では入り口から出口までの順路が定められており、来場者はその順路に従って、さながら物語の展開を追うように作品を鑑賞する。展覧会がしばしば一つの物語にたとえられる所以である。会場によって空間の条件が異なることもあるため、ある展覧会が複数の会場を巡回する場合、会場ごとに展示作品や順路を変更しなければならないこともある。大量の動員が想定される場合はスムーズなサーキュレーションを確保しなければならないし、逆にケ・ブランリ美術館やコンフリュアンス博物館のように、特定の順路を設けず観客の自由に任せる展示もありうる。作品にスポットライトを当てねばならない場合もあるだろうし、逆に所有者の貸与条件として作品保護のために光量の制限（この種の制限は国宝や名画の展示にはつきものである）が求められている場合には、当然それにも従わなければならない。

最も一般的なのは、古い作品から新しい作品へと時系列に従って配列する手法である。これは博物館の歴史展示はもちろん、作風の変化を制作順に辿ることができるという意味で個展にはもってこいの展示だが、会場の空間的な条件や作品の形状によっては難しいこともあるし、複数の作家の作品を同時に配置する場合は明らかに適さない場合もある。

他の代表的な展示法としては、「二重展示」や「サロン式展示」などが挙げられる。前者はある作品の上に、テーマを共有する別の作品を展示する手法である。作品の組み合わせが決定的に重要なのはいうまでもなく、その選択を誤ると単に情報過多で目障りなだけになってしまう。一方後者は複数の作品を一つの空間の中にまとめて展示する手法で、流派単位の展示に適している半面、選択によっては企画者の恣意を疑われる危うさも孕んでいる。

美術展の場合、かってはところ狭しとばかりに会場に多くの作品を並べるのが主流であったのが（アマチュア対象の公募展では、一枚の壁に縦二列、三列で作品を並べる「二段掛け」「三段掛け」と呼ばれる手法を今でもよく見かける）、ホワイトキューブによる展示が普及してからは、作品を単体として見せる傾向が強くなったこともあり、一室あたりの作品展示数は格段に少なくなった（たまに「Arts & Foods」展のような例外もあるが）。また会場のどこにどの作品を配置するかはプレースメントと呼ばれ、企画者の技量を図る指標の一つとされている。いずれにせよ、会場の順路の決定には慎重な判断が求められる。

プロセス（3）――パブリシティ

展覧会の準備は秘密主義が基本である。概要が固まる前に企画の情報が漏洩したら、どこからどのような横槍《よこやり》が入るかわからないし、作品の所持者がそれを理由にいったん合意した貸与を白紙に戻すことも十分にありうるので、準備段階では徹底して情報を秘匿する必要がある。一方、概要が固まり情報が解禁となって以後は、逆に観客動員を図るべく、積極的に広報活動を展開しなければならない。広報活動には様々な方法があるが、最も基本となるのが、展覧会の概要を記載した広報資料、いわゆるプレスリリースを制作することである。海外向けの広報を考えれば、英語版も用意しておく必要がある。

プレスリリースを関係各機関やマスコミ各社、評論家やジャーナリスト各氏に送付することは広報活動の基本である。当然、取材や記事の執筆・掲載が期待できる個人やメディアは展覧会によって異なるので、発送先のリストは常に管理していなければならないし、また最近はメールで送信することも多いので、高解像度の画像データを用意しておく必要がある。電子メールが普及した現在、以前に比べて電話やファクスでの問い合わせは大きく減っているとはいえ、展覧会の規模や内容次第では海外からも照会の可能性があるので、英語でもレスポンスできる態勢を整えておきたい。また、さすがにテレビやラジオのＣＭは大手マスコミが主催や後援に名を連ねている大規模な展覧会に限られるが、今後は動画による広報にも積極的に取り組む必要があるだろう。

ところで、多くの展覧会では、内覧会と呼ばれるイベントが開催される。これは、一般公開に先立って、開幕の前日（小規模なギャラリーの展示の場合は開幕当日）に招待客や報道関係者を対象として展覧会を公開するものである。招待客の多くはプレスリリースの送付者と重複しており（大規模な展覧会では、内覧会をマスコミ向けとスポンサー企業などの招待客向けに分けて開催する場合も少なくない）、このときに見た展示の様子を記事にする評論家やジャーナリストも多いことから、展覧会のパブリシティにとっても重要な位置を占めるといっていい。

電子メールが普及した現在も、内覧会の招待状は封書で送付することが大半なので、招待状には鑑賞意欲を刺激するデザインが求められる。来場者にはカタログの贈呈や、喫茶や軽食の提供などのサービスも忘れてはならない。新聞や雑誌などの既存のメディアはもとより、最近ではＳＮＳの効果も無視できないので、招待客の気分を害さないもてなしが必要である。いずれにせよ、内覧会の正否は開幕以降の観客動員や反響にも大きく影響してくるので、来場者から好評をもって迎えられるのに越したことはない。

情報とモノ（1）――陳列と展示

極めて簡略な形ではあるが、一つの展覧会を企画立案し実現するまでのプロセスはおよそ以上の通りである。その一部始終を概観すると、とにかく膨大な量の情報を扱い、加工しなければならないことがわかる。加えて、ここでは詳しく述べる余裕はないが、一つの展覧会が複数の会場を巡回する場合には、会場ごとに異なる準備をしなければならないのはもちろん、狭間の時期の作品保全や輸送といった問題にも対応しなければならないし、カタログを出版する場合には、原稿の執筆依頼や編集作業なども発生する。本書で一貫して展覧会企画を情報生産の技術になぞらえている所以だが、今までの議論の性質上多くの読者の脳裏にはある一つの疑問が浮かぶに違いない。それは、そもそも展覧会とはモノを見せるためのものなのか、それとも情報を見せるためのものなのかということだ。この問いに対しては、展覧会の内容にも大いに左右されるとはいえ、どちらもYESであると回答することができるように思う。

ここでまたしても美術展を例に取ってみよう。二〇一九年の暮れから二〇二〇年二月にかけて、東京の国立新美術館で「ブダペスト――ヨーロッパとハンガリーの美術400年」と題する大規模な美術展が開催された。同展はブダペスト国立西洋美術館とハンガリー・ナショナル・ギャラリーという二つの美術館のコレクション一三〇点を紹介する企画で、エル・グレコやティツィアーノなどの著名な西洋美術、あるいはムンカーチ・ミハーイなどのハンガリー美術の作品には、それぞれキャプションが添えられ、作家名（日本語及び原語、生没年、出生地及び死没地）、タイトル、制作年代、サイズ、制作素材などの情報が記載されていた。もちろん、鑑賞の妨げとならないようにキャプションの展示はごく控えめで、個々の作品には、キャプションには記載されていない、さらに多くの情報が含まれていた。

同展の目玉でもあったハンガリー美術の知識に乏しかったこともあり、作品の理解を深めるために、キャプションを拾い読みしたり、休憩コーナーに設けられていたカタログに目を通したり、私は当日の会場でかなり多量の文字情報に接することになった。このささやかな体験は、作品を観るという行為が、作品に含まれるこれらの情報を見る行為でもあることを物語る。

もちろん、観客はあくまで作品や資料というモノをじかに鑑賞するために展覧会に足を運ぶのであって、情報に接することはそのプロセスで派生する副次的行為にすぎない、という反論もありうるだろう。しかし、主催者の挨拶文や開催概要について記載されたプレートや、会場内の休憩スペースに設置されたカタログに目を通す観客の姿は、どの展覧会でも必ずといっていいほど見かける。このとき観客が接しているのは情報であって作品そのものではない。作品や資料というモノを見に来たはずの展覧会で、実は情報を見ているという体験は誰にでもごく普通に起こりうることなのだ。

モノと情報。展示の現場で両者はいかにして区分すべきなのか。あるとき、大手ディスプレイ会社に勤める知人がふと発した以下の言葉を耳にして、私は目から鱗《うろこ》の落ちる思いがした。「自分が今の会社に就職して間もない頃、上司からモノを見せる場合は陳列、情報を見せる場合は展示ということを教わりました」(傍点引用者)。

「デジタル大辞泉」や「大辞林」によると、「陳列」は「人に見せるために物品(品物)を並べること」、「展示」は「美術品・商品などを並べて一般に公開すること」「作品などを並べて、多くの人に見せること」と定義されている。大意としては同じだが、用例を見る限りは「陳列」の方はより即物的なニュアンスが、逆に「展示」の方はより情報公開的なニュアンスが強い言葉だといって差し支えなさそうである(ちなみに英語の場合、「陳列」に相当するのがdisplay、「展示」はexhibitとなるが、前者は「展開する、広げてみせる」という意味のラテン語displicareを語源とし、後者は「見せる、露出する」という意味のラテン語exhibereから派生しており、両者の区分は日本語のそれとも共通する部分がある)。とはいえ、両者を対比したとき、明らかに展示の方が陳列より広義であることには注意しておかねばなるまい。

具体的にはどういうことだろうか。例えば、ガラスケースに恭しく陶磁器や博物標本を収めて来場者に見せることは陳列とも展示とも呼ばれうる。しかし、その陶磁器や標本に詳細なキャプションを添えることや、ガラスケース近くの壁に主催者の挨拶や解説文を掲載したパネルを設置することが、展示と呼ばれることはあっても陳列と呼ばれることはない。陳列の対象は、あくまでもモノ＝情報である場合に限定されていることがわかる。

モノ＝情報である場合とそうでない場合をいくつか対比してみよう。既に述べたように、ガラスケースに収められた陶磁器や博物標本などはモノと情報の間にイコールの関係が成立する場合である。ではこれが建築展の場合はどうだろうか。建築展の場合、展覧会場に実作を展示することはまず不可能なため、会場に展示されるのは模型や図面などのレプリカである（近年では会場内の敷地に実物大の「光の教会」を再現した、二〇一七年の「安藤忠雄展―挑戦―」展のような例もあるが、それでもそのレプリカの寿命はせいぜい数カ月である）。模型や図面はもちろんモノではあるが、あくまでレプリカにすぎない以上、建築物そのものと等価と考えることはできない。そこで観客の前に展開されているのは、建築作品そのものではなく、建築作品の含む様々な情報というべきだろう。先の論旨に従えば、これらの模型を見せることは明らかに「陳列」よりは「展示」に近い経験である。あくまで私の主観だが、建築模型の「陳列」という例は、模型そのものに高い価値が認められていない限りは、ほぼないのではあるまいか。

科学博物館などにおける原子力関係の展示はどうだろう。もちろん、法律上、安全上の問題で稼働中の原子炉を展覧会場に設置することは不可能なので、設置されるのはあくまでも模型であるし、また核分裂や核融合、原子力発電の原理などをわかりやすく説明するためには、壁掛けのパネルやタッチ式のスクリーンなどを通じて表示する大量の解説文が必要になる。この半世紀の間に発電の技術や展示の技術は大きく進歩したとはいえ、基本的な展示の手法は「原子力平和利用博覧会」の当時から大きく変化していないのだ。原子炉や核分裂の模型というモノ以外に大量の文字情報が必要だという意味で、これもやはり「陳列」よりは「展示」に近い経験だということができる。

いうまでもなく、本書で強調する情報生産技術としてのキュレーションの主たる対象は「展示」の方である。恭しく情報としてのモノを扱う「陳列」に加え、モノ以外の情報も扱う「展示」をどのように実現するのかが、本書におけるキュレーションの課題である。

情報とモノ（2）――言語情報と非言語情報の情報処理

ここでもう一つ、別の角度から情報とモノの問題にこだわってみよう。序章でも触れたように、情報は言語情報と非言語情報に大別される。前者はいうまでもなく文字、記号、数字などの言語からなる情報、後者は映像、音、物質、遺伝子など言語以外の媒体からなる情報のことである。この区分を念頭に展覧会について考えると、果たしてどのようなことがいえるだろうか。

展覧会とは、美術作品や博物資料といった物質＝モノを展示するイベントであり、その意味では展示対象は非言語情報である。しかし、既に述べてきたように、一つの展覧会を企画し、実現するにあたっては、膨大な量の言語情報を収集し、取捨選択しなければならない。いうなれば展覧会とは、様々な言語情報をインプットし、展示物＝モノの集合体としての展覧会＝非言語情報というアウトプットを産出する情報処理の一形態なのである。

ここで私はある一つの逆説に思いあたる。長らく美術評論家という肩書を名乗ってきた私は、様々な展覧会に足を運び、展覧会評や作品評を書く仕事を数多くこなしてきた。展覧会場に設置される作品はモノ＝非言語であり、一方、評論文は言語である。そのため私は、非言語である美術作品（一部のコンセプチュアル・アートなど、現代美術には言語を制作素材とする作品もないわけではないが、これらの作品も本や新聞のように読めるわけではない）を言語に変換して論じる美術評論には、言語でできている小説や詩を対象とする文芸評論とは別種の難しさがあるように常々感じていた。これは評論だけではなく、美術史や博物学の研究にも同様のことがいえるだろう。細かな対象領域の違いはあれ、作品や資料というモノに接して調査を行い、それを土台に論文を執筆すること、すなわちモノ＝非言語情報を言語に変換してインプットし、成果物としての言語情報＝論文をアウトプットする情報処理の一形態であることに変わりはないからだ。

してみると、情報処理としての評論や研究は、展覧会とは逆ベクトルの関係にあることがわかる。これはすなわち、高水準の評論や論文を執筆することができれば、そのプロセスを逆に遡ることによって、高水準の展覧会を企画できるということを意味する。実際、展覧会を企画したキュレーターが、企画趣旨や背景をまとめた論文を執筆し、カタログに掲載する機会は少なくない。言語を非言語に、あるいは非言語を言語に変換するプロセスに習熟するためには、多くの作品＝モノに接して入念に調査し、作品＝モノから情報を引き出す経験を積まなければならない。学芸員資格を取得するにあたって、実際に現場で作品＝モノに接する実習が重視される所以である。

とはいえ、展覧会を情報処理になぞらえるのは乱暴にすぎるのではないかと思う読者もいるだろう。確かに、両者の印象は似ても似つかないものである。そうした読者には、スティーブン・ローゼンバウムの以下の言葉に目を通すことを勧めたい。展覧会企画と情報検索の共通性に注目した数少ない論者の一人であるローゼンバウムは、キュレーションが生きた情報処理でもあることを的確に指摘している。

キュレーションは高度な専門能力を必要とする商業、編集、コミュニティなどにおける根本的な変化である。（中略）人間こそがキュレーターなのだ。人間はどんなコンピューターもできないことをやってしまう。コンピューターで処理するには、人間の感情は複雑きわまりなく、個人や集団の趣味もあまりに多様である。キュレーションとは選別であり、組織化であり、プレゼンテーションであり、進化そのものだ。（『キュレーション』）

本書ではケース・スタディの素材として様々な展覧会を取り上げてきたが、それらを論じるにあたって私は常にローゼンバウムのこの指摘を意識してきた。展覧会とはキュレーションという情報処理の成果であり、その意味ではビジネスや日常生活の様々な局面とも多くの共通点を持っているのである。

第三の知的創造

吉見俊哉の『知的創造の条件』では、知的創造（これは本書でいう知的生産とほとんど同じ意味である）に関する著作が大きく二系統の人によって書かれてきたことが指摘されている。一方は社会学者によるもので、代表例として清水幾太郎の『論文の書き方』を皮切りに、高根正昭『創造の方法学』、苅谷《かりや》剛彦《たけひこ》『知的複眼思考法』、大澤真幸《まさち》『思考術』、上野千鶴子『情報生産者になる』、千葉雅也『勉強の哲学』などが挙げられる。大多数が当たり前と思っていることに内在的に疑問を発し、自明性を相対化しながら新たな認識を獲得していくことがこれらの著作の目的であり、自身も社会学者である吉見も当然この系譜に名を連ねることになる。

もう一方は情報学者や文明論者によるもので、代表例として梅棹忠夫『知的生産の技術』と川喜田二郎『発想法』をはじめ、加藤秀俊『取材学』、外山滋比古《しげひこ》『思考の整理学』、野口悠紀《ゆき》雄《お》『「超」整理法』などが挙げられる。この系列の知的創造は、創造的な思考についてのメディア論的なアプローチ、すなわちどのようなメディアがいかにして思考を媒介しているのか、それをいかにして活用すれば創造的な思考が可能になるのかを論じたものだという。本書もこれらのアプローチ、特に梅棹と川喜田の議論に多くを負っていることは序章でも紹介した通りである。

『知的創造の条件』を通読したとき、私は本書で論じてきたキュレーションの問題がこの指摘に集約されていることを直感した。本書で繰り返し強調してきたのは、キュレーションが情報の取捨選択によって新しい価値を生み出すことを可能とする技術であることであった。これは、社会学の系譜に引き寄せれば、情報の取捨選択によって新たな認識を獲得することとほぼ同義であり、一方で情報学・文明論の系譜に引き寄せれば、情報の取捨選択によって創造的な思考を可能にすることとほぼ同義となる。同書の執筆にあたって、吉見は「前者の、自明性を内在的に壊していくという社会学的な方法を踏まえつつ、後者が視野に入れてきた思考のメディア論的な次元を『知的創造の条件』として洞察していく作業」を試みたという。実際のところ、上野が川喜田の「KJ法」を独自に改良して自らの情報生産技術に取り入れたことに言及しているなど、この二つの系譜には明らかにインターフェイスが存在するし、それはまた本書で追求してきたキュレーションとも大いに重なり合うものである。

私は美術やデザインを主なフィールドとする評論家であって、社会学者でもなければ情報学者でもない。一冊の著書のテーマとしてキュレーションという言葉を選択し、執拗にこだわってきたのもその出自ゆえである。だが、吉見が要約してみせた二つの系統の知的創造には、モノとしての情報を取捨選択して展覧会を組織するというキュレーションの技術とも共通点が少なくない。例えば、キュレーションに「論文の書き方」としての側面があることは先に指摘した通りである。本格的なインターネット社会を迎え、梅棹や川喜田が夢想していた集合知が現実のものとなるとき、社会学とも情報学・文明論とも違う由来を持つ、第三の知的創造としてのキュレーションの意義はいよいよ重要さを増すのではあるまいか。本書で比較対象としたもう一つのキュレーションがインターネットを介した情報検索であったことは、決して偶然ではあるまい。

情報生産者としてのキュレーター

本書では主に展覧会企画としてのキュレーションのプロセスを概観してきたが、ここで視点を企画する人間の側へと向けてみよう。キュレーションの担い手はキュレーターと呼ばれる。キュレーション、すなわち展覧会企画がその仕事である。その仕事が多岐にわたることは既に見てきた通りだ。

序章でも触れたように、キュレーターは日本語では学芸員と訳されることが多い。学芸員とは博物館や美術館などの施設に在籍し、その館の業務として展覧会企画を担う専門職である。日本の学芸員資格は国家資格であり、一部例外はあるものの、原則として大学で博物館概論などの専門科目を履修し、実習をこなさなければ取得することはできない。加えて、博物館や美術館の正規雇用の学芸員職への就職は難関であり、そう簡単にポストを得ることはできない。かといって、何もキュレーターになることは、必ずしも学芸員資格を取得し、美術館や博物館に就職することとイコールではない。情報を収集し、取捨選択しうる現場は美術館・博物館だけとは限らない。今までの議論でもいくつかそうした事例を取り上げてきたが、学芸員資格を持たない人間であっても、参画できるキュレーションの現場は多数存在するのである。

学芸員とキュレーターの違いに拘泥すると序章の繰り返しになってしまうので、情報生産者としてのキュレーターという一点に絞って議論を進めよう。エイドリアン・ジョージは「キュレーターとは何か?」という文章の冒頭で以下のように述べている。

現代におけるキュレーターの定義は、かつてないほど幅広いものになっている。キュレーターのもっともよく知られた役割とは、展覧会のための作品の選択者および解釈者であろう。しかしそれは今や、プロデューサー、コミッショナー、展覧会プランナー、エデュケーター、マネージャー、主催者と、あらゆる役割を含んでいる。加えてキュレーターは、壁に掲示する作品ラベル、カタログエッセイ、展覧会を補完するその他コンテンツ（最近では、ウェブ上のテキストやソーシャルメディアを含むようになってきている）の執筆者である可能性が高い。さらに21世紀のキュレーターは、アーティストとのインタビューやトークイベントを通して、プレスや一般の人々との関わりを求められる。また、スポンサーや後援者関連のイベントといったファンドレイジング（資金調達）活動や開発事業への参加、さらには講演会、セミナー、インターンシップや就業体験の提供といった学校・大学を含む教育機関とのパートナーシップの構築などにも関わらなくてはならない。このようにキュラトリアルな実践が絶えず変化、発展、拡張していくなかで、キュレーターのスキルの幅もまた、新たな挑戦や機会に対応すべく、発展、拡張していかなくてはならないのである。

（『THE CURATOR'S HANDBOOK』／強調原文）

恐らく現代美術を念頭に置いての発言と思われるが、ここで述べられているキュレーターの役割や定義は他の分野の展覧会にも当てはまるものであるし、これらの多様な活動はすべて情報の収集及び取捨選択を必須とする。その可能性は、美術館や博物館を会場とする展覧会以外の場にも拡張可能なはずである。

もちろん、他にも類例は少なからず存在する。例えば百貨店の催事であれば、どのような催し物を行うか、どの業者に出店してもらい、どのような商品や物産を展示するか、どのように会場を構成・演出し、どのような順路を設定するか、会期中にどのような関連イベントを開催するか等々、催事の実現のための情報の収集や取捨選択は、美術展の企画と重複する部分が少なくない。そもそも日本では百貨店の催事場を主会場として多くの美術展が開催されてきた歴史があるため、両者には高い親和性がある。同様のノウハウは、企業のショールーム、メッセ（見本市）における商品展示、中学生や高校生を対象とした高校や大学の進学説明会など、様々な局面へと応用可能だろう。本書で取り上げた万国博覧会もその一つとして挙げられる。万博の国家パヴィリオンや企業パヴィリオンは、参加国の「国策」や参加企業の「社是」を訴求する重要な広報活動の場として位置づけられるが、そこにおいても情報の収集や取捨選択が基本であることには変わりはない。

また最近では、出版物の編集制作でもキュレーターの活躍する事例が見受けられる。これは何も現代美術のキュレーターが精力的に著書を出版しているという意味ではない。最近、NTT出版が「建築・都市レビュー叢書」というシリーズ書籍の刊行をスタートした。知人から恵投されたその一冊を通読した私は、巻末の「創刊の辞」で、この叢書の企画立案者が「叢書キュレーター」と名乗っていることに気が付いたのである。情報の収集や取捨選択としてのキュレーションには出版物の編集と共通する側面が少なくないが、かといって書籍の編集者が自ら率先して「キュレーター」を名乗る例は今までほとんど存在しなかった。その理由が気になった私は「創刊の辞」の中の「本叢書の主題は、現在の建築・都市に潜む事態・事象・現象・様相等のその問題性を指摘し、新たな局面を切り開いてゆくための独創的な力を示すことにあります」（傍点引用者）という一文に目が留まった。この企画立案者は、従来であれば自らの役どころを「監修」や「責任編集」と称していただろう。それで何の問題もないのだが、敢えて傍点部分を強調するために、自らの仕事をキュレーションとしてとらえたのではないだろうか。今後、後に続く事例が現れるのか注目したいところである。

もちろんキュレーターの活躍する場は、現実空間のみならずインターネット上にも幅広く存在するだろう。かつては「ヴァーチュアル・リアリティ」や「サイバースペース」といった言葉で語られていたその可能性は、現在では数多くのオンラインショッピングやオンライン展として展開されている。そういえば、二〇二〇年に放映されたTVアニメ「マギアレコード　魔法少女まどか☆マギカ外伝」に、他者の記憶を書き換える「記憶キュレーター」という設定のキャラクターが登場することを思い出した。詳細は作品を見てもらいたいが、本書でのキュレーションの定義に即して考えるなら、実はこの設定も適切なものなのである。

キュレーション　世界を自由に漂っていく技術

最後に、ハンス・ウルリッヒ・オブリストの言葉を紹介しておきたい。現代美術の世界で活躍するオブリストは、本書の文脈では典型的な狭義のキュレーターの一人ということになるのだが、彼の関心は必ずしも現代美術だけにとどまらない。例えばある展覧会に大いに触発された経験について、オブリストは以下のように語っている。

リオタールは展覧会カタログでこう説明した。「私たちはひとつの感性を目覚めさせたいと思った。精神になにか教条を吹き込みたいなどとは夢にも思わなかった。この展覧会（引用者注：「非物質的なものたち」展）はポストモダン型のドラマツルギーだ。主人公も神話もない。問いかけを通じて組織される複数の状況――私たちのいうサイト――のかたちづくる迷宮だ。（中略）来場者はそれぞれ孤独の中で、自分をつかまえている網目たち、自分に呼びかける声たちの交差路に召喚され、進む道を選ぶよう求められる。もし私たちが答えを、『教条』を持っているのだとしたら、わざわざこんなことをするだろうか？」さまざまに異なるサイトのそれぞれで、リオタールはアート作品、日常の事物、テクノロジー装置、科学器具を組み合わせて多様なディスプレイをつくりだした。

（『キュレーションの方法』）

「非物質的なものたち」展は一九八五年三〜七月にパリのポンピドゥー文化センターで開催された展覧会で、企画者のジャン＝フランソワ・リオタールはポストモダンの論客として名高かった哲学者である。本文で言及した「盲者の記憶」展や「これから起きるかもしれないこと」展など、フランスには著名な哲学者に展覧会の企画を委託する知的伝統があり、これもその一つに位置づけられる。同展は現在では今日のデジタルな未来をその到来以前に予見した最初の展覧会の一つとして評価されているが、当時一〇代のオブリスト少年は実はこの展覧会を見ておらず、知人からの伝聞によって事後的に知り、大いに触発されたことを語っている。

会期中に撮影された写真を見ると、会場は天井から床まで張り巡らせた網状のスクリーンによって隔てられ、個々のブロックにＰＣなどの機器が設置され、ホログラムなどが上映されていることがわかる。タイトルの通り、物質＝モノではなく非物質＝情報を見せることを意図した、メディアアート的な性格の強い展示だったようだ。会場には定まった順路はなく、観客はヘッドホンを装着して、思い思いに展示を見て回る趣向となっていた。また同展のカタログはスリップケース仕様となっていて、その中には展覧会のトピックにちなんだ七二枚の紙片をはじめ、リオタールのテキストや会場の平面図が封入されていた。このカタログの造本は梅棹忠夫のカード整理術を彷彿とさせるが、それはもちろん情報そのものを展示し、それを一人一人の観客にそれぞれの視点で再文脈化させようという展覧会の方針によって決定されたものなのだろう。

開催されてから三〇年以上、企画者リオタールの死からも二〇年以上経過し、久しく忘れられていた「非物質的なものたち」展だが、英語圏で論集が出版されるなど、近年になって再評価が進みつつある（詳細は星野太「（非）人間化への抵抗――リオタールの『発展の形而上学』批判」［『現代思想』二〇一六年一月号］を参照のこと）。その流れを受けて、二〇一六年には京都のギャラリーで「物質性―非物質性　デザイン&イノベーション」と題するオマージュ展が開催され、「非物資的なものたち」展を見ていない私も、遅ればせながらその問題提起の一部を追体験することができた。もちろん、オブリストの発言も一連の再評価の流れの中から出てきたものだ。非物質＝情報を展示の対象とした「非物質的なものたち」展の先駆的な試みは、情報処理としてのキュレーションにとって多くの示唆を孕んでいたのである。
またオブリストは、以下のようにも述べている。

> 「キュレーション」がこれまでなかったほど多彩なコンテクストで用いられているということはもう明らかだろう。オールドマスターの版画展から、ワイン・セレクトショップのラインナップまで、ありとあらゆるものについてキュレーションということが言われている。(中略)キュレーションは、いまではそれ自体ひとつの活動であると理解されているのだ。目下、キュレーションというアイデアと、クリエイティヴな自己という今日的な考えとはなにかしら響き合う部分がある。行く場所、食べるもの、することを、独自の美意識に基づいてチョイスしつつ、世界を自由に漂っていく自己という発想だ。

キュレーションするという発想が現在流行しているのは、現代生活のなかの無視できないひとつの特徴に由来する。アイデア、生《なま》のデータ、処理済み情報、イメージ、特定領域に関する知識、物質的製品が増殖し反復されるという、今日私たちの目の前で出てきている特徴である。このことはいくら強調してもしすぎることはない。ただし、インターネットが爆発的な影響を及ぼしていることはいまではごく自明だけれども、インターネットの背後ではもっと大規模な変化が起きていて、百年ほど前からずっと続いているのである。

（前掲書／傍点引用者）

本格的なインターネット時代の到来によって処理しなければならない情報が激増し、それと並行して情報処理技術としてのキュレーションの意味も拡張された。絶え間なく変化する現在、人々がキュレーションによって目指すべきは、世界を自由に漂っていくことだ！　今まで本書の議論にお付き合いいただいた読者には、およそ以上のようにパラフレーズできるオブリストの主張が、本書のそれと大きく重なっていることがおわかりいただけるのではないか。序章でキュレーションの一例として挙げたワインショップのラインナップを、ここでオブリストも挙げていることが単なる偶然の一致とは思えない。この直後、オブリストはキュレーションが際限なく拡張する「バブル」を戒めて展覧会企画という本来の意味へと舞い戻ろうとするのだが、それは彼の職業柄当然のことでもあり、何も読者がそれに追従する必要は全くない。いかにして情報を収集し、取捨選択してどのような成果物を生み出すか、それをどのようにビジネスや日常生活の現場で役立てるか、それはもはや一人一人の裁量に委ねられているからである。

『キュレーションの方法』の最後で、オブリストはキュレーションの先駆として『全地球カタログ』（WEC）を挙げている。WECは一九六八〜一九七四年にかけてスチュアート・ブランドによって刊行された、「全体システムの理解」「コミュニティ」「遊牧民族」といった独自の観点から全地球のモノを網羅しようとしたヒッピー世代向けの雑誌だが、その無謀にしてユニークな試みは、約半世紀を経た現在では、「新たな生き方に関心を持つすべての人に向けて、便利な製品を販売し情報を拡散する、対抗文化《カウンターカルチャー》のDIY（自作用）百科」として位置づけられるようになった。

オブリストは、PCの普及が世界を大きく変革することをいち早く見抜き、八〇年代には世界初のオンラインコミュニティを実現したブランドは、キュレーターの先駆のような人物なのではないかと指摘している。ブランドが生涯を通じて追求した世界を自由に漂っていく自己という発想も、実は本書が追求してきた「価値を生み出す生き方」としてのキュレーションの一つなのかもしれない。

あとがき

　キュレーションという言葉を知ったのはいつのことだっただろうか。恥ずかしながら学生時代には知らなかったので、大学を卒業して間もない頃だったのは確かである。それからしばらくして美術評論に携わるようになった私は、今度は一転してキュレーションやキュレーターという言葉に頻繁に接する日々を過ごすようになったのだが、いつの頃からか、この言葉の意味を「価値を生み出す生き方」にまで拡張できないだろうか、と考えるようになった。

　何がきっかけでそう考えるようになったのかはもう思い出せない。若い頃ほど現代美術に関心を持てなくなったことも、あるいは現職に着任して以降はデザインの教育や研究に多くの時間や労力を費やすようになったことも一因には違いない。要は歳をとって視点が相対化されたということなのだろう。

　当初は大して気にも留めていなかったこの考え方が、徐々に頭の中で膨らみ始めた。私はどこかにヒントが潜んでいるのではないかと多くの文献を漁《あさ》ったり、ネット検索を繰り返したりしたのだが、解答は一向に見つからなかった。「どうやらそんな本は誰も書いていないようだ。

ならば自分で書くしかない！」キュレーターではない私が、キュレーションについての本を書こうと意を決することになろうとは、我ながら全く思いもよらぬことだった。

とはいえ、いくら一人意を決したところで、編集者の理解なくして本を出版することなどできるわけがない。その意味では、集英社クリエイティブの森山聡平氏の理解を得られたのは実に幸運なことだった。私の不躾《ぶしつけ》な申し出に対して、森山氏は快く応じてくれたばかりか、多くの有益な助言をいただくことができた。森山氏の懇切な対応によって、当初は単なる思いつきにすぎなかったキュレーションについての企画は少しずつ具体的なものとなり、「新しい価値の提示」を核とする概要が徐々に形成されていった。本書の内容が多少なりとも示唆に富んでいるとしたら、それは紛れもなく森山氏と積み重ねた対話の成果である。なお企画段階で、「情報・知識＆オピニオン imidas」（https://imidas.jp/）において、あいちトリエンナーレ２０１９に関する津田大介氏へのインタビュー（「ジャーナリストが問うアートと社会の接点『あいちトリエンナーレ２０１９』ができるまで」二〇一九年七月）や構想の中間報告（「知的生産技術としてのキュレーション」前後編・二〇一九年八月）の機会をいただき、それが本書をまとめる上で大いに有益であったことも申し添えておく。森山氏にはこの場にて深く感謝したい。

一連のコロナ禍についても少しだけ触れておこう。東京在住の私は、他の多くの人々と同様に、緊急事態宣言下にあった二〇二〇年四月上旬～五月下旬の約二カ月間、いわゆる巣ごもり生活を強いられた。その間、当然ながら外出は必要最小限の範囲にとどめざるを得なかった。否応なしに本書の執筆に取り組むことになった私は、多くの文献に当たり、ネット検索を繰り返す一方で、展覧会に足を運び、モノの展示に接する機会の全くない時間を長く過ごすうちに、言語とモノの情報としての共通性をあらためて強く意識するようになった。キュレーションが高度な知的生産技術であるという本書の主張は、今までに多くの展示を見てきた経験から導かれたものなのだが、皮肉にもその確信は長期にわたって展示を見られなかった不自由によって裏付けられることになったのである。

私は長らく美術やデザインの評論に携わってきた一方で、ＩＴは全くの門外漢である。二つのキュレーションに対して等距離であったとはいいがたい。また私は海外の大学でキュレーションを学んだ経験がなく、自らのキュレーションの理解も当然ながら日本語を母語とし、一年の大半を日本で過ごしている言語的、空間的な制約の下に成立している。東アジアや欧米など、海外の事例もある程度取り上げたとはいえ、英語の curation の意味を十分に精査できなかったことは残念であるが、そうした諸々の限界を認めた上でもなお、本書の問題提起には一定の意義があるものと自負している。ぜひとも読者のご意見を伺いたい。

美術書やビジネス書など、本書の出版形態には他にもいくつかの候補が挙がったのだが、多くの読者に手に取って欲しい一心で、私は定価が安く発行部数の多い新書での出版を第一に考えていた。その希望をかなえてくれた集英社新書編集部の伊藤直樹編集長には大いに感謝している。伊藤氏からも多くの助言をいただいたのだが、なかでも「国策を取り上げてはどうか」という提案には触発されるところが大きかった。また編集部の精度の高い校閲に敬服したことも書き添えておきたい。もちろん、それでもなおミスが残っているとすれば、その責任はすべて私にある。素晴らしい写真をご提供いただいた北島敬三氏にも感謝したい。

同世代の多くの人と同様に、私も「週刊少年ジャンプ」を読んで育った一人であり、その版元である集英社から自らの著書を出版することは大いに感慨深い。近い将来にコロナ禍から解放された折には、ぜひとも森山氏、伊藤氏と三人で会食し本書の出版を喜びたいものである。その店探しのための情報検索は、私にとってこの上なく快いキュレーションとなるに違いない。

二〇二〇年一二月七日

暮沢剛巳

参考文献

Hui, Yuk, and Broeckmann, Andreas(eds.), *30 Years after Les Immatériaux: Art, Science, and Theory*, Meson Press, 2015

Virilio, Paul, *Unknown Quantity*, Thames & Hudson, 2003

Arts & Foods: Rituals since 1851, Electa, 2015

Confluences: Birth of a museum, Flammarion, 2014

Feeding the Planet, Energy for Life: EXPO Milano 2015 Official Catalogue, Electa and 24 Ore Cultura, 2015

Japan-ness: Architecture et urbanisme au Japon depuis 1945, Centre Pompidou-Metz, 2017

Japanorama: Nouveau regard sur la création contemporaine, Centre Pompidou-Metz, 2017

「梅棹忠夫――知的先覚者の軌跡」展カタログ、国立民族学博物館、二〇一一年

「ジャパン・アーキテクツ　１９４５－２０１０」展カタログ、金沢21世紀美術館、二〇一四年

「杉本博司　趣味と芸術－味占郷／今昔三部作」展カタログ、千葉市美術館、二〇一五年

「杉本博司　ロスト・ヒューマン」展カタログ、東京都写真美術館、二〇一六年

「パラレル・ヴィジョン――20世紀美術とアウトサイダー・アート」展カタログ、世田谷美術館、一九九三年

「ワイン展――ぶどうから生まれた奇跡」展カタログ、国立科学博物館、二〇一五年

「芸術新潮」二〇〇七年三月号（特集＝パリのびっくり箱　ケ・ブランリー美術館へ行こう！）

「現代思想」二〇一六年一月号（特集＝ポスト現代思想）

「新潮」二〇二〇年二月号（特集＝あいちトリエンナーレ・その後）

ジョン・アーリ+ヨーナス・ラースン『観光のまなざし』加太宏邦訳、法政大学出版局、二〇一四年（増補改訂版）
浅田彰『「歴史の終わり」と世紀末の世界』小学館、一九九四年
東浩紀『ゲンロン0　観光客の哲学』ゲンロン、二〇一七年
東浩紀（編）『福島第一原発観光地化計画』ゲンロン、二〇一三年
有馬哲夫『原発・正力・CIA――機密文書で読む昭和裏面史』新潮新書、二〇〇八年
池田安里『ファシズムの日本美術――大観、靫彦、松園、嗣治』タウンソン真智子+池田安里訳、青土社、二〇二〇年
井出明『ダークツーリズム――悲しみの記憶を巡る旅』幻冬舎新書、二〇一八年
ポール・ヴィリリオ『アクシデント――事故と文明』小林正巳訳、青土社、二〇〇六年
上野千鶴子『情報生産者になる』ちくま新書、二〇一八年
内山田康『原子力の人類学――フクシマ、ラ・アーグ、セラフィールド』青土社、二〇一九年
宇野常寛『遅いインターネット』幻冬舎、二〇二〇年
梅棹忠夫『情報の文明学』中公文庫、一九九九年
梅棹忠夫『知的生産の技術』岩波新書、一九六九年
岡本太郎『原色の呪文――現代の芸術精神』講談社文芸文庫、二〇一六年
岡本有佳+アライ＝ヒロユキ（編）『あいちトリエンナーレ「展示中止」事件――表現の不自由と日本』岩波書店、二〇一九年
ハンス・ウルリッヒ・オブリスト『キュレーション――「現代アート」をつくったキュレーターたち』村上華子訳、フィルムアート社、二〇一三年
ハンス・ウルリッヒ・オブリスト『キュレーションの方法――オブリストは語る』中野勉訳、河出書房新社、二〇一八年

蟹江憲史『SDGs（持続可能な開発目標）』中公新書、二〇二〇年
川喜田二郎『発想法――創造性開発のために』中公新書、二〇一七年（改版）
川口幸也（編）『ミュージアムの憂鬱――揺れる展示とコレクション』水声社、二〇二〇年
川俣正＋ニコラス・ペーリー＋熊倉敬聡（編）『セルフ・エデュケーション時代』フィルムアート社、二〇〇一年
北川フラム『ひらく美術――地域と人間のつながりを取り戻す』ちくま新書、二〇一五年
北澤憲昭『反覆する岡本太郎――あるいは「絵画のテロル」』水声社、二〇一二年
北澤憲昭＋佐藤道信＋森仁史（編）『美術の日本近現代史――制度・言説・造型』東京美術、二〇一四年
洪恒夫『展示のデザインアルバム』東京大学出版会、二〇一九年
斎藤環『戦闘美少女の精神分析』太田出版、二〇〇〇年
佐野真由子（編）『万博学――万国博覧会という、世界を把握する方法』思文閣出版、二〇二〇年
椹木野衣『アウトサイダー・アート入門』幻冬舎新書、二〇一五年
椹木野衣『黒い太陽と赤いカニ――岡本太郎の日本』中央公論新社、二〇〇三年
エイドリアン・ジョージ『THE CURATOR'S HANDBOOK――美術館、ギャラリー、インディペンデント・スペースでの展覧会のつくり方』河野晴子訳、フィルムアート社、二〇一五年
白洲信哉『美を見極める力――古美術に学ぶ』光文社新書、二〇一九年
杉本博司『アートの起源』新潮社、二〇一二年
関楠生『ヒトラーと退廃芸術――〈退廃芸術展〉と〈大ドイツ芸術展〉』河出書房新社、一九九二年
田中純『冥府の建築家――ジルベール・クラヴェル伝』みすず書房、二〇一二年
ドミニク・チェン『未来をつくる言葉――わかりあえなさをつなぐために』新潮社、二〇二〇年

鶴見俊輔（編）『近代日本思想大系24　柳宗悦集』筑摩書房、一九七五年
ジャック・デリダ『盲者の記憶——自画像およびその他の廃墟』鵜飼哲訳、みすず書房、一九九八年
東京大学総合研究博物館（編）『UMUTオープンラボ——太陽系から人類へ』東京大学出版会、二〇一六年
中見真理『柳宗悦——「複合の美」の思想』岩波新書、二〇一三年
西野嘉章（編）『インターメディアテク——東京大学学術標本コレクション』平凡社、二〇一三年
西野嘉章『モバイルミュージアム　行動する博物館——21世紀の文化経済論』平凡社新書、二〇一二年
リディア・パイン『ホンモノの偽物——模造と真作をめぐる8つの奇妙な物語』菅野楽章訳、亜紀書房、二〇二〇年
長谷川祐子『キュレーション——知と感性を揺さぶる力』集英社新書、二〇一三年
クレア・ビショップ『人工地獄——現代アートと観客の政治学』大森俊克訳、フィルムアート社、二〇一六年
藤田直哉（編著）『地域アート——美学／制度／日本』堀之内出版、二〇一六年
イリス・ボネット『WORK DESIGN——行動経済学でジェンダー格差を克服する』池村千秋訳、NTT出版、二〇一八年
松竹洸哉『柳宗悦——「無対辞」の思想』弦書房、二〇一八年
毛利嘉孝『バンクシー——アート・テロリスト』光文社新書、二〇一九年
山本想太郎＋倉方俊輔『みんなの建築コンペ論——新国立競技場問題をこえて』NTT出版、二〇二〇年
吉田朋正『エピソディカルな構造——〈小説〉的マニエリスムとヒューモアの概念』彩流社、二〇一八年
吉見俊哉『知的創造の条件——AI的思考を超えるヒント』筑摩書房、二〇二〇年
吉見俊哉『夢の原子力——Atoms for Dream』ちくま新書、二〇一二年
クロード・レヴィ＝ストロース『仮面の道』山口昌男ほか訳、ちくま学芸文庫、二〇一八年
スティーブン・ローゼンバウム『キュレーション』田中洋監訳、プレジデント社、二〇一一年

写真クレジット

p. 14　写真：TopFoto/アフロ

p. 23, 33　提供：朝日新聞社

p. 49　©Hiroshi Sugimoto/Courtesy of Gallery Koyanagi

p. 53　写真：GAILLARDE RAPHAEL/Gamma/AFLO

p. 70　写真：Arcaid Images/アフロ

p. 82　documenta archiv/Foto: Carl Eberth junior
©Stadtarchiv Kassel, Bestand Carl Eberth

p. 94　Photo by T. Kuratani

p. 98　提供：Mary Evans Picture Library/アフロ

p. 121　©2020 Kiyoko Lerner/ARS, New York/
JASPAR, Tokyo E3975

p. 124　写真：北島敬三

p. 133　写真提供：ユニフォトプレス

p. 141　写真：Science Photo Library/アフロ

p. 144　写真：時事

p. 155　写真：新華社/アフロ

p. 185　写真：暮沢剛巳

p. 196, 197　写真：Ullstein bild/アフロ

編集協力

集英社クリエイティブ

暮沢剛巳（くれさわ　たけみ）

一九六六年、青森県生まれ。東京工科大学デザイン学部教授。美術・デザイン評論。著書に『オリンピックと万博』『現代美術のキーワード100』（ちくま新書）、『世界のデザインミュージアム』（大和書房）、『エクソダス―アートとデザインをめぐる批評』（水声社）など、共著に『大阪万博が演出した未来』『幻の万博』（青弓社）など。

拡張《かくちょう》するキュレーション　価値《かち》を生《う》み出《だ》す技術《ぎじゅつ》

集英社新書一〇五〇F

二〇二一年一月二〇日　第一刷発行

著者……暮沢《くれさわ》剛巳《たけみ》
発行者……樋口尚也
発行所……株式会社集英社
東京都千代田区一ツ橋二-五-一〇　郵便番号一〇一-八〇五〇
電話　〇三-三二三〇-六三九一（編集部）
〇三-三二三〇-六〇八〇（読者係）
〇三-三二三〇-六三九三（販売部）書店専用

装幀……原　研哉
印刷所……大日本印刷株式会社　凸版印刷株式会社
製本所……加藤製本株式会社

定価はカバーに表示してあります。

ISBN 978-4-08-721150-4 C0270

Printed in Japan

a pilot of wisdom

集英社新書　好評既刊

苦海・浄土・日本 石牟礼道子 もだえ神の精神
田中優子　1040-F

水俣病犠牲者の苦悶と記録を織りなして描いた石牟礼道子。世界的文学者の思想に迫った評伝的文明批評。

毒親と絶縁する
古谷経衡　1041-E

現在まで「パニック障害」の恐怖に悩まされている著者。その原因は両親による「教育虐待」にあった。

イミダス 現代の視点2021
イミダス編集部 編　1042-B

ウェブサイト「情報・知識imidas」の掲載記事から日本の現在地を俯瞰し、一歩先の未来を読み解いていく。

中国法「依法治国」の公法と私法
小口彦太　1043-B

先進的な民法と人権無視の憲法。中国法は、なぜ複雑な相貌を有するのか。具体的な裁判例に即して解説。

忘れじの外国人レスラー伝
斎藤文彦　1044-H

昭和から平成の前半にかけて活躍した伝説の外国人レスラー一〇人。彼らの黄金期から晩年を綴る。

悲しみとともにどう生きるか
柳田邦男／若松英輔／星野智幸／東畑開人／平野啓一郎／島薗 進／入江 杏　1045-C

「グリーフケア」に希望を見出した入江杏の呼びかけに応えた六人が、悲しみの向き合い方について語る。

ニッポン巡礼〈ヴィジュアル版〉
アレックス・カー　045-V

滞日五〇年を超える著者が、知る人ぞ知る「かくれ里」を厳選。日本の魅力が隠された場所を紹介する。

原子力の哲学
戸谷洋志　1047-C

七人の哲学者の思想から原子力の脅威にさらされた世界と、人間の存在の根源について問うていく。

花ちゃんのサラダ 昭和の思い出日記〈ノンフィクション〉
南條竹則　1048-N

懐かしいメニューの数々をきっかけに、在りし日の風景をノスタルジー豊かに描き出す南條商店版『銀の匙』。

万葉百歌 こころの旅
松本章男　1049-F

随筆の名手が万葉集より百歌を厳選。瑞々しい解釈と美しいエッセイを添え、読者の魂を解き放つ旅へ誘う。